W9-DEU-360

# Candide
# ou l'optimisme
## (1759)

### VOLTAIRE

**MARIE-HÉLÈNE DUMESTE**

Agrégée de Lettres

# Sommaire

Fiche profil ................................................................. 5

**PREMIÈRE PARTIE**            7

## Résumé et repères pour la lecture

**DEUXIÈME PARTIE**            27

## Problématiques essentielles

**1** La vie et l'œuvre de Voltaire ........................................ 28

**2** *Candide* : du conte traditionnel au conte philosophique .. 32
Les apparences d'un conte traditionnel ............................ 32
Les éléments philosophiques ........................................... 34
Particularités du conte philosophique .............................. 35

**3** La stratégie argumentative dans *Candide* ................... 37
Les conditions de l'argumentation ................................... 37
Les instruments de l'argumentation ................................. 41
La portée de l'argumentation ........................................... 42

**4** Optimisme et pessimisme : le problème du Mal ............ 44
La querelle de l'optimisme .............................................. 44
La critique de l'optimisme par Voltaire ............................. 46
La voie proposée par Voltaire ......................................... 47

**5** La satire religieuse et sociale ...................................... 50
Religion et intolérance ..................................................... 50
Trois fléaux humains ....................................................... 54
La comédie sociale .......................................................... 57

© HATIER, PARIS, 2001      ISSN 0750-2516      ISBN 2-218-**73745**-0

**6** **Le jardin et la quête du bonheur** .............................. 59

Un symbole universel.................................................... 59

La symbolique du jardin dans le conte........................... 61

La leçon finale............................................................ 62

**7** **L'Eldorado** ................................................................ 65

Du réalisme au merveilleux........................................... 65

Un monde idéal........................................................... 67

Sens et place de l'Eldorado dans *Candide* ..................... 68

**8** *Candide*, **roman d'apprentissage** ............................... 71

Les conditions de la formation ...................................... 71

Une évolution psychologique et intellectuelle .................. 73

Le sens de cet apprentissage........................................ 74

**9** **Personnages ou marionnettes ?** ................................. 77

Des personnages stylisés.............................................. 77

Des personnages au service d'une cause........................ 79

Êtres de chair ou marionnettes ?................................... 80

**10** **Les procédés de la satire**......................................... 82

L'humour.................................................................... 82

L'ironie....................................................................... 84

Le comique ................................................................. 85

**11** **Structure et rythme du récit** .................................... 88

L'absence apparente de structure................................... 88

Une structure discrète et complexe ............................... 90

Le rythme du récit....................................................... 92

**12** **Point de vue et énonciation** ..................................... 95

La variété des points de vue ......................................... 95

L'énonciation au service de la satire .............................. 97

**13** **L'impact culturel de** *Candide* ...................................101

La portée de *Candide* au XVIIIe siècle...........................101

L'actualité de *Candide* du XIXe au XXIe siècle.................103

La postérité esthétique.................................................105

# Lectures analytiques

**1** « Il y avait en Westphalie [...]
tout est au mieux » (chap. 1) ............................... 108

**2** « Rien n'était si beau [...]
l'avaient traité de même » (chap. 3) ..................... 114

**3** « En approchant de la ville [...]
il entra dans Surinam » (chap. 19) ....................... 121

ANNEXES

Bibliographie ......................................................... 126

Index - Guide pour la recherche des idées ............................ 127

Édition : Marie-Paule Rochelois
Maquette : Tout pour plaire
Mise en page : Atelier Dominique Lemonnier

# Candide (1759)

**Voltaire (1694-1778)**

Conte philosophique                                    XVIII<sup>e</sup> siècle

### RÉSUMÉ

Jeune et naïf, Candide grandit heureux au château du baron de Thunder-ten-tronckh. Il admire les théories ridicules du précepteur Pangloss, selon lequel « tout est au mieux ». Mais, un jour, le baron surprend Candide enlacé avec sa fille Cunégonde, et le chasse de ce paradis, parce qu'il est inimaginable qu'un bâtard épouse une noble. Plongé dans les horreurs du monde, Candide découvre que la réalité contredit Pangloss : partout sévissent la guerre, les cataclysmes naturels. Cependant, il retrouve son précepteur, qui n'a pas changé d'avis malgré ses malheurs, et Cunégonde, devenue courtisane. Le couple s'embarque vers l'Amérique pour échapper aux cruautés de l'Inquisition portugaise. Menacé par le gouverneur de Buenos Aires, qui convoite Cunégonde, Candide s'enfuit avec son valet Cacambo. Il séjourne au royaume mythique de l'Eldorado, mais, insatisfait de cet idéal isolé du reste des hommes, il reprend sa course. Son espoir est de retrouver Cunégonde et de vivre confortablement grâce aux diamants rapportés de l'Eldorado. Ce rêve s'effondre : bouleversé par la condition de l'esclave de Surinam, volé par un marchand, déçu par les vices des Parisiens, le jeune homme comprend en outre, à Venise, que même les riches et les princes sont malheureux.

Seules le consolent l'amitié du philosophe Martin, pour qui tout va mal, et la fidélité de Cacambo, qui le conduit en Propontide vers Cunégonde. Bien qu'elle soit devenue laide et acariâtre, Candide l'épouse. Avec ses amis, il s'installe dans une métairie, où ils trouvent un bonheur simple en cultivant leur jardin sans raisonner sur le Bien et le Mal.

**– Candide** : héros doué de bon sens, généreux et sensible, mais naïf. Aventures et rencontres l'aideront à mûrir.

**– Pangloss** : précepteur ridicule et borné, il professe la philosophie optimiste de Leibniz. Bien que la réalité contredise constamment ses thèses, il refuse toujours de changer d'avis.

**– Cunégonde** : jeune baronne belle et un peu sotte, aimée de Candide. Elle devient servante, courtisane, esclave.

**– Martin** : philosophe pessimiste, acquis aux thèses manichéennes selon lesquelles le Mal règne sur le monde. Il sert de pendant à Pangloss, sans avoir son caractère égoïste et dogmatique.

**– Cacambo** : valet de Candide, fidèle et débrouillard.

**– La vieille** : princesse devenue servante. Elle résiste à tous ses malheurs et conseille les jeunes héros.

## CLÉS POUR LA LECTURE

### 1. Le genre du conte philosophique

À travers une fiction courte et plaisante, Voltaire utilise toutes les ressources de l'argumentation et du style pour convaincre de l'ineptie d'une théorie philosophique, l'Optimisme de Leibniz, et des injustices de l'organisation religieuse, sociale et politique de son époque.

### 2. Un roman d'apprentissage

Au fil des tribulations d'un jeune héros, l'auteur retrace les étapes d'une éducation intellectuelle (apprendre à penser, à raisonner, à discuter) et morale (apprendre à être heureux).

### 3. Le style voltairien

Plutôt que d'émouvoir, Voltaire utilise principalement l'arme du rire pour convaincre. Comique, satire, ironie imprègnent sur un rythme très vif une accumulation d'épisodes et de personnages drôles et variés.

# PREMIÈRE PARTIE

# Résumé
# et repères
# pour la lecture

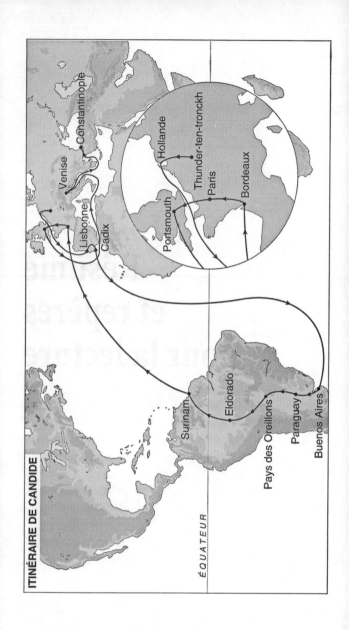

ITINÉRAIRE DE CANDIDE

Constantinople
Venise
Lisbonne
Cadix
Hollande
Thunder-ten-tronckh
Paris
Bordeaux
Portsmouth

Surinam
Eldorado
Pays des Oreillons
Paraguay
Buenos Aires

ÉQUATEUR

# Allemagne, Hollande et Portugal

### RÉSUMÉ

Au château de Thunder-ten-tronckh vit une famille en apparence opulente et heureuse, mais dont Voltaire dévoile à demi-mot la médiocrité sociale et morale : le baron, son épouse, leur fils, leur fille Cunégonde, le précepteur Pangloss, et le jeune Candide, fils supposé de la sœur du baron. Candide écoute avec naïveté le prétentieux Pangloss, qui professe qu'il n'y a pas d'effet sans cause, et que ce monde est le meilleur possible. Il admire aussi la fraîche et grasse Cunégonde.

Par un enchaînement de causes et d'effets, Candide est exclu de cet univers idyllique : ayant surpris par hasard une scène leste entre Pangloss et une servante, Cunégonde veut les imiter avec Candide; le baron les aperçoit et chasse le garçon (chap. 1).

Le héros subit une série de malheurs : enrôlé de force dans l'armée bulgare, il est fouetté pour s'être ingénument éloigné, et n'est sauvé que par le roi (chap. 2). Il assiste aux combats entre Bulgares et Abares, et fuit à travers les villages dévastés. Réfugié en Hollande, il est repoussé par un pasteur, mais recueilli par l'anabaptiste Jacques (chap. 3). Il retrouve Pangloss, gueux et pustuleux, qui lui apprend la mort de ses anciens maîtres, massacrés par les Bulgares, et sa propre maladie vénérienne, attrapée de Paquette, la servante qu'il courtisait. Le bon Jacques recueille aussi le précepteur, qui guérit mais perd un œil et une oreille. Tandis qu'ils voguent tous vers Lisbonne, Pangloss persiste à croire que tout va pour le mieux (chap. 4).

Une tempête, où Jacques meurt en sauvant un marin, salue ces propos optimistes. Sur une planche, Candide et Pangloss abordent Lisbonne dévastée par un tremblement de terre, mais le précepteur prône toujours l'optimisme. Un familier de l'Inquisition l'entend et les dénonce comme hérétiques (chap. 5). L'Inquisition, pour demander pardon à Dieu du séisme, organise un autodafé : Candide est fessé, Pangloss pendu, et d'autres hérétiques brûlés. Le même jour, la terre tremble à nouveau, et Candide, à nouveau seul, se lamente (chap. 6).

**Un paradis de pacotille**

Dans l'univers très restreint du château, l'ordre social et philoso-phique règne, et, semble-t-il, une forme de bonheur bon enfant. Mais, dès les premiers mots, le lecteur comprend que tous les per-sonnages vivent dans l'illusion : fausse richesse et vanité de la noblesse pour le baron, son épouse et son fils, erreur philosophique chez Pangloss, dont les théories sont exprimées de façon ridicule, simulacre d'amour entre le précepteur et la servante, Cunégonde et Candide. Si l'on ose dire, le ver est dans le fruit : le château et ses dépendances (meute...) sont miteux, les préjugés nobiliaires du maître le pousseront à refuser que sa fille aime un bâtard, et Pangloss, on le saura plus tard, sera infecté par Paquette...

**La succession de maux physiques et moraux**

Si le premier chapitre contient déjà une négation du bonheur et des théories philosophiques affichés au château, à la fois dans les descriptions et l'ironie du ton, les cinq suivants en prennent systé-matiquement le contre-pied par une accumulation rapide d'événe-ments contredisant les théories optimistes. L'univers s'élargit pro-gressivement à l'Europe, avec une série d'étapes qui offrent autant d'occasions pour Candide et Pangloss de constater que partout sévissent des fléaux qui frappent l'homme, les maladies, les cata-clysmes naturels, mais aussi ceux que l'homme crée, la guerre, l'in-tolérance religieuse. Voltaire fait la démonstration de l'ineptie d'un optimisme béat, contredit par l'observation de la réalité.

Il met l'accent sur deux absurdités qui symbolisent le Mal et for-ment pour lui des arguments majeurs contre l'optimisme : l'horreur de la guerre, qui fournit un célèbre morceau de bravoure littéraire (chap. 3), et le fait que les méchants (le marin pillard) sont récom-pensés alors que les bons (Jacques) meurent (chap. 5).

**Un jeu d'opposition entre les personnages**

L'argumentation contre les théories optimistes utilise le procédé de contraste entre des personnages représentatifs des fausses valeurs, et des personnages symboles des vraies valeurs. Face au ratiocineur égoïste et parasite Pangloss, aux intellectuels douteux de l'université de Coïmbre, se dresse le bon Jacques, peu bavard, nullement théoricien mais généreux, membre d'une communauté, les anabaptistes, pourchassée pour ses idées sociales avancées.

# Portugal et Espagne

### RÉSUMÉ

Candide rencontre dans Lisbonne une vieille serviable qui l'entraîne dans une demeure… où vit Cunégonde, réchappée des massacres de la guerre entre Abares et Bulgares (chap. 7).

Après des effusions romanesques, Cunégonde narre ses tribulations : violée par un Bulgare, sauvée par un capitaine, vendue à un marchand juif, don Issachar, remarquée par le Grand Inquisiteur du Portugal, devenue leur maîtresse, elle assiste à l'autodafé et, reconnaissant Candide, lui envoie sa vieille servante. Le couple mange puis s'assoit sur un canapé : arrive Issachar, fou de jalousie (chap. 8).

Candide, menacé par Issachar, le tue, puis tue pour le même motif l'Inquisiteur. Avec les deux femmes, il s'enfuit de Lisbonne (chap. 9). Volés en chemin par un cordelier, ils parviennent démunis en Espagne. Candide est enrôlé comme capitaine dans une flotte en partance pour le Paraguay. Sur le navire, Cunégonde se plaint de leur sort, Candide espère trouver enfin le meilleur des mondes, la vieille excite leur curiosité en disant que sa propre histoire est pire que la leur (chap. 10).

Récit de la vieille : fille d'un pape et d'une princesse, promise à un prince beau, jeune et riche, elle a bien souffert : après la mort subite du prince, réduite en esclavage et violée par un corsaire, elle échappe à une guerre entre les Maures (chap. 11). Recueillie par un eunuque qui la vend au bey d'Alger, elle connaît la peste, est revendue comme esclave tout autour de la Méditerranée, survit à un combat entre janissaires et Russes, échoue finalement chez Issachar. Malgré ces vicissitudes, elle aime toujours la vie, et propose d'interroger les autres passagers, dont le sort à son avis n'est guère plus enviable (chap. 12).

## La critique de l'optimisme

Voltaire recourt encore une fois au procédé d'argumentation consistant à opposer aux théories panglossiennes l'absurdité de la vie. La démonstration, centrée sur la condition féminine, va crescendo, l'histoire de Cunégonde n'étant qu'une ébauche de la déchéance de la vieille : celle-ci est partie de plus haut (elle est princesse) et parvenue encore plus bas, sa beauté s'étant évanouie (elle est servante, même pas courtisane adulée des hommes…).

Subtilement, à son habitude, il tire plusieurs flèches à la fois : une satire de l'amour et de la condition féminine (voir plus bas) ; l'absurdité de la guerre avec la lutte entre Abares et Bulgares, la description du massacre au château par Cunégonde, les conflits atroces auxquels la vieille a survécu ; la satire de la religion, Juif et Inquisiteur catholique communiant par leur désir de la chair de Cunégonde dans un même vice érotique contraire à leurs principes.

## Une satire de l'amour et de la condition féminine

La dénonciation des malheurs qui frappent les femmes, considérées comme des objets par les hommes et la société (viol, vente…) n'exclut pas leur rouerie, et une satire des genres littéraires de l'époque (mais la nôtre n'en connaît-elle pas d'équivalents ?) qui se terminent par des *happy ends* peu crédibles et que Voltaire s'amuse à parodier (romans précieux de D'Urfé, par exemple).

Cunégonde apparaît comme une fille à la fois un peu bête, sensuelle et calculatrice. Ce sera son personnage jusqu'à la fin, où elle deviendra même acariâtre. Elle n'est pas le double féminin de Candide qui, lui, reste bon, généreux, et qui évolue, lentement, vers davantage d'intelligence. Cunégonde comprend dès son expérience de la guerre et du viol l'ineptie des théories de Pangloss : « J'avais cru jusque-là qu'il n'y avait rien sur la terre de si beau que le château de Thunder-ten-tronckh : j'ai été bien détrompée. » Mais elle réagit avec pragmatisme, exploitant à son tour, pour survivre, les hommes qui l'exploitent.

L'amour est envisagé sous un jour sordide, mais en même temps le dévouement de la vieille et l'attachement de Cunégonde à Candide sont un baume pour le héros, une raison de vivre et d'espérer.

### CHAPITRES 13 À 16

# Le Nouveau Monde

### RÉSUMÉ

Comme la vieille, tous les passagers évoquent leurs malheurs. À Buenos Aires, le gouverneur convoite Cunégonde, un espion débarque pour venger l'Inquisiteur. Conseillés par la vieille, Candide fuit, Cunégonde reste avec son nouveau protecteur (chap. 13).

Accompagné d'un valet, Cacambo, recruté à Cadix, Candide arrive chez les jésuites qui régissent le Paraguay en s'appropriant toutes les richesses, ne laissant rien aux peuples locaux. Candide y retrouve le frère de Cunégonde : sauvé du massacre du château, il a été envoyé en Amérique chez les jésuites. Mais les retrouvailles tournent au drame : à l'idée d'un mariage entre sa sœur et Candide, le jeune baron, outré dans son orgueil nobiliaire, veut assassiner le jeune homme, qui le transperce et s'enfuit (chap. 14 et 15).

Arrivé avec Cacambo dans un pays inconnu, Candide tue deux singes qui semblaient menacer deux dames : tragique méprise! Les deux bêtes étaient leurs amants... Le lendemain matin, les Indiens Oreillons capturent nos voyageurs et veulent les manger car ils sont habillés en jésuites, lesquels sont leurs ennemis. Cacambo réussit à les persuader qu'ils n'appartiennent pas à cette confrérie, puisqu'ils viennent de tuer l'un de ses représentants (chap. 16).

### REPÈRES POUR LA LECTURE

#### Le Nouveau Monde, aussi décevant que l'Ancien

« Nous allons dans un autre univers, disait Candide; c'est dans celui-là sans doute que tout est bien. » Le « Nouveau Monde », opposé au Vieux Monde européen, semblait alors un lieu vierge où pouvaient être réinventées une société égalitaire, des relations humaines moins cruelles. Mais les colonisateurs y ont exporté leurs préjugés, leur amour de la guerre et leurs vices. Symbole de cette omniprésence du Mal, l'orgueil nobiliaire déjà rencontré à Thunder-ten-tronckh, et qui est à l'origine des malheurs de Candide. À preuve le gouverneur espagnol, caricaturé par Voltaire à travers son nom (Don Fernando d'Ibaraa, y Figueora, y Mascarenes, y Lampourdos, y Souza) et son attitude prétentieuse (chap. 13), mais aussi le frère allemand de Cunégonde, retrouvé au Paraguay, et qui, malgré ses déboires, garde sa conscience de classe. Après avoir fêté Candide (« il l'appelait son frère, son sauveur »), il rompt la joie des retrouvailles en apprenant que le jeune homme veut épouser Cunégonde : « Vous, insolent ! », « vous auriez l'impudence d'épouser ma sœur qui a soixante et douze quartiers ! » (chap. 15).

Autre iniquité, la répartition des richesses entre colonisateurs et indigènes dans les missions jésuites du Paraguay : « Los padres y ont tout, et les peuples rien. »

Enfin, le héros retrouve le fléau de la guerre, et les conflits religieux : rivalité des pères jésuites avec les Espagnols ; conflit des Oreillons avec les mêmes jésuites qu'ils se réjouissent de cuire quand il leur en tombe sous la main... « Cet hémisphère-ci ne vaut pas mieux que l'autre », résume Cacambo.

### La satire du mythe du bon sauvage

Voltaire porte un regard ironique sur le Nouveau Monde par la perception qu'il donne des « sauvages », louangés dans les *Essais* de Montaigne puis célébrés dans le mythe des bons sauvages à l'état de nature par Jean-Jacques Rousseau (*Discours sur l'inégalité* de 1755), Bougainville ou Diderot. Il pointe deux caractéristiques de ces peuples qui choquaient la morale européenne et contredisent l'idéalisme rousseauiste : les mœurs sexuelles étranges (deux femmes qui ont pour amants des singes), le cannibalisme. Mais son regard n'est pas entièrement négatif. Voltaire se tire avec désinvolture de la polémique sur la bonté des sauvages opposés aux vices de la civilisation : les Oreillons sont accessibles à la raison, ils se laissent fléchir par l'argumentation du beau discours de Cacambo. Mais ce raisonnement repose sur une base absurde et comique : Cacambo persuade les sauvages d'abandonner le cannibalisme, mais uniquement pour leurs amis, pas pour les jésuites... Le cri d'admiration de Candide (fin du chapitre 16) est donc plein d'ironie : « Quel peuple ! disait-il, quels hommes ! quelles mœurs ! si je n'avais pas eu le bonheur de donner un grand coup d'épée au travers du corps du frère de mademoiselle Cunégonde, j'étais mangé sans rémission. Mais, après tout, la pure nature est bonne, puisque ces gens-ci, au lieu de me manger, m'ont fait mille honnêtetés dès qu'ils ont su que je n'étais pas jésuite. »

**Nouveaux personnages et évolution de Candide**

La vieille et Cacambo prennent une importance capitale et influencent, par leur pragmatique, voire leur cynisme, le destin de Candide et Cunégonde. La vieille avait infléchi leur raisonnement sur l'optimisme dès le chapitre 13, après son récit sur sa déchéance et la confirmation par chaque passager de son malheur (« Candide et elle avouèrent que la vieille avait raison »). Elle persuade Cunégonde d'abandonner Candide pour profiter de la protection du gouverneur de Buenos Aires, prêt à l'épouser. De même, Cacambo, recruté par Candide en Espagne, et qui jouera désormais un rôle de confident et fidèle serviteur, convainc Candide de tourner cyniquement sa veste, et de proposer ses services aux jésuites alors qu'il avait été recruté pour les combattre. Ces deux personnages issus de traditions littéraires (l'entremetteuse, le valet de comédie et de roman picaresque) sont à leur place dans ce roman d'apprentissage et de voyage qu'est *Candide*. À noter que comme Candide, la vieille et Cacambo sont des « bâtards » (elle est issue d'un pape ; il est né d'un métis et d'une Indienne) contraints de trouver par eux-mêmes une place dans la société, et qui développent une philosophie de l'action et de la survie.

Candide quitte peu à peu sa passivité : deux fois assassin en Espagne, en légitime défense, il affirme sa croyance en l'égalité sociale contre son ancien frère d'éducation, le baron, et sa volonté d'épouser Cunégonde : « Maître Pangloss m'a toujours dit que les hommes sont égaux, et assurément je l'épouserai. » Et il n'hésite pas, lui si pacifique et bon, à tuer le troisième obstacle sur son chemin vers l'amour.

# L'Eldorado

### RÉSUMÉ

Les deux héros se dirigent vers la Cayenne. Las de marcher, ils se laissent aller au courant d'une rivière jusqu'au pays fabuleux de l'Eldorado, où les enfants jouent avec des diamants, et où les auberges valent des palais. Par un vieux sage, ils découvrent son histoire et son organisation sociale, religieuse et politique : dans ce royaume préservé par son isolement des guerres et de l'envie, vivent harmonieusement des survivants des Incas. Unis par une religion monothéiste et sans clergé, tous du même avis, ils n'ont besoin ni de Parlement, ni de système judiciaire, ni de prison. Une visite à la cour royale confirme que ce peuple, gouverné par un souverain raisonnable et doux, cultive le luxe, les beaux-arts et les sciences. Tenté par ce paradis, Candide y reste un mois : « C'est probablement le pays où tout va bien. » Mais, nostalgique de Cunégonde et pensant que muni d'or et de pierreries de l'Eldorado il deviendra riche et respecté dans le reste du monde, il préfère repartir. Le roi tente de l'en dissuader, puis leur fait construire une machine pour les hisser au-delà des montagnes.

### REPÈRES POUR LA LECTURE

#### Une tradition littéraire

L'Eldorado a des fondements historiques : l'on pensait à l'époque que des Incas, pour fuir la conquête espagnole, s'étaient réfugiés avec un trésor dans un lieu inaccessible, et ce peuple bénéficiait de la part des intellectuels du XVIIIᵉ siècle d'une estime particulière, parce qu'ils le paraient de qualités morales par comparaison avec les conquistadors rapaces et sans scrupules. Mais l'Eldorado trouve aussi sa source dans une longue tradition littéraire, celle de l'Utopie (du grec *ou*, « *non* », et *topos*, « lieu »), description d'un lieu imaginaire où se réalise l'idéal politique, social et religieux d'un philosophe. Au sein de cette tradition Voltaire crée son propre idéal, désormais universellement célèbre, en mêlant aux Incas les Quakers de Pennsylvanie, société américaine chrétienne tolérante et égalitaire, peu soucieuse de richesse, déjà présente à travers le généreux et industrieux Jacques l'anabaptiste, mais tempérée, ce qui est très voltairien, par la célébration du luxe et de la science.

### L'expression des idéaux de l'auteur

Par les valeurs qui y règnent, déisme et tolérance religieuse, mépris de l'argent, bonhomie du prince, importance accordée aux arts et aux sciences, au confort, l'Eldorado résonne comme un véritable paradis face au passé de Candide (Thunder-ten-tronckh plusieurs fois évoqué comme inférieur à l'Eldorado, l'Inquisition portugaise) et son futur (futilité intéressée de Paris, fragilité du pouvoir et ennui de la richesse à Venise). C'est le seul vrai moment de bonheur pour Candide à part le bonheur illusoire de Thunder-ten-tronckh et celui, pragmatique mais réalisable, du dernier chapitre. C'est le temps suspendu de l'Utopie. Seules les leçons accumulées conduiront le jeune homme à reproduire en plus petit et médiocre mais plus réel à la fin du conte l'idéal eldoradien, obtenu, valeur curieusement absente de l'Eldorado, par le travail.

CHAPITRES 19 À 21

# Le Nouveau Monde (suite)

### RÉSUMÉ

L'équipée, d'abord triomphale, s'achève rapidement par un désastre : en cent jours de marche vers la Cayenne, Candide perd par maladie, noyade ou chute dans des précipices les moutons rouges de l'Eldorado qui portaient ses richesses, à l'exception de deux. Il en tire l'idée que la richesse est fragile, au contraire de l'amour et de l'honnêteté. La réalité le contredit vite sur le respect accordé à ces deux valeurs : il apprend par un patron de vaisseau que Cunégonde est la favorite du gouverneur, et envoie Cacambo la racheter, en lui donnant rendez-vous à Venise ; à travers la rencontre avec un nègre du Surinam, esclave d'un négociant hollandais, Vanderdendur, il découvre jusqu'où peut aller l'exploitation de l'homme par l'homme. Dupé par le même Vanderdendur, qui empoche son argent sans l'embarquer et lui vole ses deux derniers moutons, trompé par un juge qui se fait payer une fortune sans l'aider à poursuivre le négociant, Candide médite sur l'ordre du monde. Trouvant une place sur un navire français, il décide d'engager avec l'argent qui lui reste un nouveau compagnon, qui soit honnête et le plus malheureux de sa province. Ce sera Martin, un savant pessimiste et doux (chap. 19).

Sur le navire, les deux hommes discutent du Mal et du Bien. Candide penche toujours pour le système de Pangloss, Martin expose ses théories manichéennes. Ils s'interrompent pour regarder s'affronter un bateau espagnol et un vaisseau pirate hollandais, qui n'est autre que celui de Vanderdendur... lequel coule, et Candide, qui sauve de la mer l'un de ses moutons rouges, reprend espoir puisque les voleurs sont punis : un voleur, certes, rétorque Martin, mais combien de marins honnêtes sont morts avec lui ? Et ils continuent de débattre, des mœurs de Paris et de France, que connaît Martin, de celles de Venise, où ils comptent aller, des vices humains en général (chap. 20 et 21).

### REPÈRES POUR LA LECTURE

**La dénonciation de l'esclavage et du pouvoir de l'argent**

À côté de l'esclavage des nègres, que Candide découvre à Surinam, les vices du gouverneur de Buenos Aires ou des jésuites du Paraguay semblent véniels. Avec la traite, le raffinement cruel des châtiments subis par les esclaves marrons (qui fuient leur maître) et l'hypocrisie religieuse qui les accompagne, c'est un nouveau Mal absolu que rencontre le héros. L'origine en est la rapacité de négociants comme Vanderdendur qui exploitent le goût des produits exotiques des Européens (« c'est à ce prix que vous mangez du sucre en

Europe », chap. 19). Mais c'est aussi la découverte du racisme, cautionné par l'Église · « Les fétiches hollandais qui m'ont converti me disent tous les dimanches que nous sommes tous enfants d'Adam, blancs et noirs […] vous m'avouerez qu'on ne peut pas en user avec ses parents d'une manière plus horrible » Voltaire a délibérément dramatisé, par la place de la rencontre entre Candide et le nègre dans le conte, par les larmes de son héros répondant à la douce interrogation critique de la victime noire, un phénomène socio-économique qui commençait à son époque à provoquer un véritable débat.

Le terrible Vanderdendur ne se prive d'ailleurs pas non plus de voler les Blancs, et Candide lui-même. Pour une fois, c'en est trop, justice sera faite, ce rapace mourra lors d'une attaque (chap. 20) : « Vous voyez, dit Candide à Martin, que le crime est puni quelquefois; ce coquin de patron hollandais a eu le sort qu'il méritait. » Mais Martin observe que d'honnêtes gens ont sombré avec lui.

### L'évolution de Candide et l'apparition de Martin

Le jeune homme, déjà capable d'esprit critique et d'action avant d'arriver à l'Eldorado, renforce la maîtrise de sa pensée et de son destin. Côté philosophique, il rompt avec Pangloss : « C'en est fait, il faudra qu'à la fin je renonce à ton optimisme »; il définit ce dernier, avec amertume, comme « la rage de soutenir que tout est bien quand tout est mal » (chap. 19). Côté action, il ne s'enfuit plus, il ne se contente plus de se lamenter et de suivre les initiatives de la vieille ou de Cacambo. Il surmonte ses déceptions, pourtant graves (abomination de l'esclavage, trahison amoureuse de Cunégonde, perte de ses richesses) et se donne des buts : c'est lui qui a voulu quitter l'Eldorado et qui explique à son valet ce qu'il doit faire : il décide de faire racheter Cunégonde par Cacambo et de les retrouver à Venise; il prend l'initiative d'écouter le témoignage de multiples malheurs (alors que durant la traversée précédente c'était la vieille qui l'avait suggéré), et de se choisir un compagnon méritant et éprouvé, qu'il veut rendre plus heureux; il raisonne davantage et un véritable échange intellectuel, dans l'égalité, même s'il reste encore assez incohérent, s'instaure entre lui et son nouveau compagnon sur les sujets les plus divers et les plus graves : la cause de l'existence du monde et des conflits entre les hommes, la justice et l'injustice, etc. (chap. 22).

L'irruption de Martin est un événement majeur : il a la stature intellectuelle de Pangloss, mais avec humanité, humilité et générosité. Face à ce pendant pessimiste qui devient un véritable ami, désormais toujours à ses côtés, Candide affine ses raisonnements.

# Retour en Europe

**RÉSUMÉ**

Débarqués à Bordeaux, les deux amis vont à Paris, qui correspond hélas en tout point au tableau que Martin en avait dressé : tombé malade, Candide se voit entouré de parasites, médecins, femmes, trafiquants douteux, joueurs, appâtés par ses richesses. Rétabli, il est guidé par un abbé périgourdin, qui le mène au théâtre : il y admire des tragédies et le talent de la célèbre actrice Clairon. Son enthousiasme rencontre les critiques mesquines des beaux esprits journalistes, folliculaires improductifs et jaloux. L'abbé le mène dans un salon à la mode : Candide découvre une société passionnée par le jeu, le bavardage, la médisance, la coquetterie et la corruption : la maîtresse de maison, marquise de Parolignac, lui extorque des diamants contre quelques faveurs ; l'abbé périgourdin, connaissant son amour pour Cunégonde, l'attire auprès d'une femme qui se fait passer pour elle, et qui soutire un sac d'or au naïf amoureux. Arrive l'abbé avec un exempt de police : pour ne pas être emprisonné comme étranger suspect, Candide, sur les conseils de Martin, corrompt le fonctionnaire, qui l'aide à gagner l'Angleterre (chap. 22).

Devant les côtes de Portsmouth, Candide assiste à l'exécution d'un amiral anglais, dont la seule faute fut de perdre une bataille contre les Français. Épouvanté, il joint Venise en longeant le littoral Atlantique puis en traversant la Méditerranée (chap. 23 et 24).

La France et l'Angleterre sont alors deux grandes puissances européennes rivales, que Voltaire connaît intimement : l'une est sa patrie, l'autre un pays où il a vécu comme exilé, et dont il admire les avancées économiques, politiques et religieuses. Pourtant, la satire est d'une égale violence pour les deux nations.

## La satire de Paris

De la France, Voltaire ne retient qu'une société futile et dépravée, réduite à sa capitale : à Paris, « la principale occupation est l'amour, la seconde de médire, et la troisième de dire des sottises ». Il règle des comptes personnels avec les journalistes, en particulier Fréron, ennemi public des philosophes des Lumières, désigné clairement par son initiale (« un faiseur de feuilles, un F… »). Voltaire vise aussi le rôle de l'argent (les diamants de Candide lui attirent de faux adulateurs), et la vague aveugle de persécutions contre les étrangers qui a suivi la tentative d'assassinat du roi par Damien, sauvagement torturé lors de sa mise à mort en 1757. Sont également dénoncés l'amour factice et intéressé, l'intolérance de la religion à travers le destin des comédiens, excommuniés et privés de sépulture.

## Une vision très réduite de l'Angleterre

De l'Angleterre, qui l'accueillit lors de son exil en 1726, et qu'il célèbre pour son respect des droits de la personne dans d'autres ouvrages (*Lettres philosophiques* en 1733), Voltaire ne retient que des aspects négatifs : cette absence de nuances est l'un des moyens d'argumentation habituels du conte voltairien et de *Candide* en particulier, qui rejoint le procédé, pictural et littéraire, de la caricature. Il fait une allusion à la guerre que se livrent, à ses yeux dérisoirement, la France et l'Angleterre pour leurs colonies : « Vous savez que ces deux nations sont en guerre pour quelques arpents de neige vers le Canada et qu'elles dépensent pour cette belle guerre plus que tout le Canada ne vaut » (chap. 23). L'a également profondément choqué l'exécution de l'amiral anglais John Byng en 1757.

# Venise

## RÉSUMÉ

Candide et Martin, arrivés à Venise, cherchent Cacambo, rencontrent un jeune couple, l'air heureux et amoureux. C'est encore une illusion : il s'agit de Paquette, la femme de chambre qui avait contaminé Pangloss, devenue prostituée, et l'homme, Giroflée, a été, comme souvent à l'époque, contraint de devenir moine, afin que son frère aîné hérite seul de la fortune familiale (chap. 24).

Ayant entendu parler d'un riche Vénitien qui n'a jamais connu de chagrin, Candide souhaite voir un si extraordinaire personnage. Ce seigneur Pococuranté, amateur d'art, vivant au milieu de tableaux sublimes, de livres rares et précieux, du luxe et de la volupté, n'a ni désirs, ni véritables plaisirs. Blasé de tout, y compris des plus grands chefs d'œuvres littéraires, il s'ennuie (chap. 25).

Enfin, Candide retrouve Cacambo, qui malgré les prédictions pessimistes de Martin lui est resté fidèle. Candide apprend que Cunégonde est à Constantinople. Ils soupent avec six rois, tous déchus, venus passer le carnaval à Venise (chap. 26).

## REPÈRES POUR LA LECTURE

Ces trois rencontres à première vue disparates, distribuées en épisodes successifs, ont une unité : elles donnent une leçon de vie sur le caractère trompeur des apparences. En outre, elles s'insèrent aisément dans le récit par le fil conducteur de la recherche de Cacambo, et de la quête d'un bonheur avec Cunégonde.

### La composition du passage

Désemparé par l'absence de Cacambo au rendez-vous fixé (« il tomba dans une mélancolie noire »), Candide ne veut pas croire au pessimisme de Martin, pour qui un simple valet métis ne saurait faire preuve de fidélité. Cette fois-ci, c'est Martin que trompent les apparences : Cacambo ressurgit (chap. 25), toujours fidèle (son retard s'explique parce qu'il est devenu esclave) et annonce que

Cunégonde réside à Constantinople. Les trois rencontres s'inscrivent donc dans une période de pause dans le récit, d'attente et d'angoisse de Candide, et sont ponctuées d'allusions au bonheur qu'il espère toujours avec Cunégonde, même si la réalité lui oppose encore et toujours des exemples de malheurs.

Voltaire, pour renforcer son argumentation, utilise le procédé de la répétition, qui va crescendo au fil des pages : alternance d'espoirs et de déceptions, succession de récits (le couple, puis les courts discours des rois, rédigés sur un même modèle) encadrant le jeu des questions-réponses entre le héros et Pococuranté. Le comique de répétition entretient ainsi la vivacité du conte et contribue à mettre l'accent sur l'omniprésence du malheur.

**Trois rencontres significatives**

Aux yeux encore naïfs de Candide, si désireux de trouver enfin des gens heureux, les personnages rencontrés possèdent à première vue les clés du bonheur : l'amour, la santé, la jeunesse, la beauté et l'insouciance pour Paquette et Giroflée, l'opulence qui met à l'abri des ennuis pour Pococuranté, le faîte de la puissance pour les rois. La fréquence des verbes « sembler », « paraître » dans le texte montre qu'il se trompe : « Le théatin paraissait frais, potelé... », « vous m'avez paru aussi heureuse que vous prétendez être infortunée », « vous me paraissez jouir d'une destinée que tout le monde doit envier », « vous paraissez très content de votre état de théatin » (chap. 24). Il ne faut pas se fier aux apparences, ce que confirment les récits provoqués par les questions du héros, puis la métaphore du carnaval, où chacun se masque.

La galerie des malheureux illustre des stéréotypes humains, la plupart universels, en allant de bas en haut des classes sociales : la prostituée, le moine sans vocation, le seigneur blasé, les princes détrônés. À la satire sociale, Voltaire joint la satire religieuse (Giroflée), littéraire (propos de Pococuranté), politique (les princes). Un sort particulier est fait à Pococuranté. À travers lui, comme dans le chapitre 22 sur Paris, Voltaire aborde des polémiques artistiques qui lui sont chères : à Paris, les folliculaires méprisaient le théâtre ; le riche Vénitien critique la peinture, la musique, l'opéra, les grands auteurs, la science, le théâtre, les libres œuvres anglaises.

# Le dénouement en Propontide

### RÉSUMÉ

Sur une galère voguant vers Constantinople, Candide réfléchit à la fragilité du pouvoir, puisque tant de rois sont détrônés. Cacambo lui raconte que Cunégonde, enlaidie, est devenue esclave en Propontide, ainsi que la vieille (chap. 27).

Et voilà que Pangloss et le jeune baron surgissent pour les embrasser : ayant survécu, l'un à l'autodafé, l'autre aux coups de Candide, devenus forçats après bien des aventures, ils ramaient sur la galère. Candide les rachète (chap. 28).

Arrivé en Propontide, Candide rachète la vieille et Cunégonde. Tous s'installent dans une petite métairie. Le jeune baron continue cependant à refuser que sa sœur épouse un bâtard (chap. 29).

Il est exclu du groupe et renvoyé chez les jésuites. Candide, bien qu'il n'en meure pas d'envie, épouse Cunégonde par devoir. La petite troupe n'en devient pas plus heureuse : à part Cacambo, qui travaille pour tous les autres, les héros s'ennuient, Cunégonde a mauvais caractère, Pangloss, Martin et Candide dissertent en vain sur le Mal et le Bien, tandis qu'autour d'eux sévit le despotisme turc. Giroflée et Paquette, toujours pitoyables, les rejoignent un jour. Deux rencontres vont cependant amener Candide à changer de vie et de philosophie : un derviche turc leur conseille de se taire au lieu de se complaire dans la métaphysique; un bon vieillard leur montre l'exemple d'une vie modeste, agréable et productive : « Le travail éloigne de nous trois grands maux : l'ennui, le vice et le besoin. » Candide suit la leçon, en mettant au travail tous ses amis : chacun acquiert un métier et contribue au bonheur du groupe, et Candide répond désormais aux raisonnements vides de Pangloss en le faisant taire : « Cela est bien dit, mais il faut cultiver notre jardin. »

**Les retrouvailles de tous les personnages**

Après Cacambo (quitté au chapitre 19), Candide revoit le baron (tué au chapitre 15) et Pangloss (mort au chapitre 6) : ne manquent à l'appel que Cunégonde et la vieille, Paquette et Giroflée, pour reconstituer le cercle de ses proches, ceux du château et ceux qu'il a rencontrés ensuite. Ce sera fait aux chapitres 29 et 30. Chacune des retrouvailles est prétexte à accumuler récits de déboires et piques religieuses ou sociales. Si, malgré les catastrophes subies, Pangloss reste obstinément optimiste, Candide connaît un mélange de joies (retrouver amis et amours) et de déceptions (la laideur et le caractère acariâtre de Cunégonde ; la médiocrité maussade de leur vie en Propontide ; la persistance de l'orgueil nobiliaire du baron).

**Les leçons finales et la création d'un nouveau paradis**

Le cercle de Thunder-ten-tronckh se reconstitue, mais sous la forme d'une petite métairie (mais est-elle si différente du miteux castel allemand ?) où règnent encore les inégalités sociales et l'ennui. Candide a cependant changé : d'enfant élevé dans l'ombre de la famille noble, il est devenu un chef de famille, qui a libéré ses amis, subvient à leurs besoins et épouse Cunégonde par honneur.

La recherche intellectuelle de Candide et sa quête du bonheur persistent. Elles vont aboutir par la métaphorique leçon de silence donnée, un peu brutalement (les hommes sont de simples souris dans un vaisseau dont elles ne connaissent pas la destination), par le derviche, qui refuse la métaphysique, puis par la leçon de vie plus terre à terre mais aussi plus explicite du bon vieillard qui vit de son verger.

C'est la fin de l'apprentissage de Candide : il met en pratique ces leçons en mettant toute sa troupe au travail.

# DEUXIÈME PARTIE

# Problématiques essentielles

# 1 La vie et l'œuvre de Voltaire

## UNE JEUNESSE TUMULTUEUSE (1694-1734)

François-Marie Arouet, né à Paris d'un notaire, étudie chez les jésuites, fréquente les milieux libertins, brille dans les salons par son esprit et son impertinence. Ses pamphlets contre le Régent lui valent une incarcération de près d'un an à la Bastille. En 1718, il fait jouer avec succès sa première tragédie, *Œdipe*, et prend le nom de Voltaire. Mais cet univers s'écroule : il est exilé en Angleterre après une rixe avec le chevalier de Rohan, qui l'a humilié en rappelant ses origines modestes.

Durant plus de deux ans, il découvre avec enthousiasme la tolérance et le libéralisme anglais. De retour en France, il donne plusieurs tragédies, dont *Zaïre*, et publie les *Lettres philosophiques*, œuvre ironique et mordante : l'éloge de l'Angleterre présente en même temps une critique implicite du royaume de Louis XV. Le livre, condamné par le Parlement, est saisi et brûlé.

## VOLTAIRE À CIREY, PARIS, SCEAUX ET LUNÉVILLE (1734-1749)

Menacé d'arrestation, Voltaire se réfugie chez la marquise Émilie du Châtelet, au château de Cirey, près de la frontière de Lorraine. Il y passe dix années amoureuses, studieuses et heureuses, entrecoupées de voyages. Il rédige des œuvres historiques (*Le Siècle de Louis XIV*, éloge du Grand Siècle, l'*Essai sur les mœurs*, sur le progrès des civilisations et la relativité des coutumes). Il correspond avec Frédéric II de Prusse, modèle du roi philosophe.

À cinquante ans (1744), de retour à Paris, il est nommé historiographe du roi, élu à l'Académie française, mais ne parvient pas à s'imposer à la cour de Versailles, le roi Louis XV ne l'aimant guère et finissant par l'exiler après une impertinence sur la reine. Il fuit à Sceaux, chez la duchesse du Maine, qu'il distrait notamment en écrivant des contes philosophiques (*Zadig*), puis vit à Lunéville, à la cour du roi Stanislas de Lorraine. Émilie, éprise d'un jeune officier, y meurt en 1749 des suites d'un accouchement.

## SÉJOUR EN PRUSSE (1750-1753), VIE AUX « DÉLICES » ET À FERNEY (1754-1778)

Voltaire séjourne à Berlin à l'invitation de Frédéric II. L'un admire le souverain éclairé, l'autre le philosophe poète, mais ils finissent par se brouiller et le départ de Berlin s'accompagne de vexations graves à l'égard de l'écrivain. Indésirable en France, il achète une maison en Suisse, près de Genève, qu'il nomme « Les Délices », puis acquiert en France, sur la frontière, le domaine de Ferney, sa résidence favorite à partir de 1760. À ses côtés vit désormais sa nièce, Mme Denis, devenue sa maîtresse.

Son activité littéraire est toujours aussi importante, dans des genres très divers. En 1756, il publie le *Poème sur le désastre de Lisbonne*; en 1759, *Candide ou l'Optimisme*; en 1764, *Le Dictionnaire philosophique*; en 1767, *L'Ingénu*... Il s'engage dans le combat de l'*Encyclopédie*. À Ferney, il participe à la gestion et à la modernisation du village qu'il dote aussi d'une église. Il écrit plusieurs lettres par jour à ses nombreux correspondants de toute l'Europe, qui souvent lui rendent visite. Il intervient, parfois avec succès, parfois en vain, devant l'opinion publique française, voire européenne, en faveur des persécutés politiques ou religieux, par des écrits anonymes ou signés (*Traité de la tolérance* en 1763). Il réhabilite ainsi le protestant Calas, injustement accusé d'avoir tué son fils qui voulait se convertir au catholicisme (1763), intervient dans l'affaire Sirven et celle du chevalier de la Barre (1766), défend l'amiral anglais Byng (qui apparaît dans *Candide*, chap. 23).

Voltaire quitte Ferney en 1778 pour Paris. Il y meurt le 30 mai après un accueil triomphal, à quatre-vingt-quatre ans. Les funérailles religieuses lui sont refusées. On l'enterre clandestinement en Champagne, à l'abbaye de Scellière. En 1791, ses cendres seront transférées au Panthéon.

## *CANDIDE*
## DANS L'ŒUVRE DE VOLTAIRE

Situé tardivement dans la vie de l'auteur (il a plus soixante ans en 1759), ce conte de la maturité exceptionnel jaillit d'une expérience humaine riche et variée, d'une réflexion philosophique approfondie par les épreuves, et d'un art littéraire qui va jusqu'à l'innovation. Longtemps optimiste jusqu'à la provocation (dans son poème *Le Mondain* de 1736, par exemple : « le paradis terrestre est là où je suis »), Voltaire est successivement éprouvé par une série de deuils, de désillusions, de révoltes contre les injustices : mort d'Émilie (1749), conflit à Berlin avec Frédéric II (1753) qui l'atteint à la fois dans ses affections et ses espoirs politiques, tremblement de terre de Lisbonne en 1755, déclenchement de la guerre de Sept Ans (1756)... On lui a parfois reproché de tout traiter par un rire désincarné : Voltaire était en fait un ultra-sensible, constamment malade et qui vibrait devant les malheurs personnels ou collectifs, mais il réagissait par l'action, par l'arme de l'ironie et de l'argumentation plutôt que par l'expression directe de l'émotion comme le feront les romantiques.

*Candide* se situe au carrefour des influences intellectuelles et biographiques qui marquèrent son créateur, et au centre de son action politique. Voltaire pense conquérir une postérité par ses tragédies ou ses écrits historiques, genres alors les plus nobles. Mais d'un jeu de salon, d'un genre en constitution, le conte philosophique, il fait une arme polémique bien plus puissante, par le rire, la brièveté, l'accessibilité à tous : le conte circule sous le manteau, délesté de l'esprit de rigueur et de nuance exigé par les ouvrages dits sérieux. Or, quand il publie *Candide*, Voltaire maîtrise le genre : il a déjà écrit *Le Crocheteur borgne*, *Cosi-Sancta*, *Le Monde comme il va*, *Zadig*, *Memnon*, *Micromégas*, *Scarmentado*. Ces œuvres manifestent une évolution progressive de l'optimisme vers le pessimisme. Après *Candide*, viendront un autre chef-d'œuvre, *L'Ingénu*, puis *La princesse de Babylone*, *L'Homme aux soixante écus*, *Le Taureau blanc*, *Les Oreilles du comte de Chesterfield*, l'*Histoire de Jenni*.

Pour *Candide*, Voltaire, aiguillonné par une crise personnelle, se surpasse : récit long mais construit, trépidant, truffé d'allusions à l'actualité et de références littéraires, feu d'artifice d'ironie contre de multiples cibles. Il procède avec la plus grande prudence vis-à-vis de la censure : selon la préface de ce pamphlet anonyme, le conte fut traduit par un docteur Ralph, qui bien sûr n'existe pas. C'est un succès phénoménal. Comme chacun reconnaît son style, il nie dans ses lettres, en mars 1759, la paternité d'une telle « plaisanterie d'écolier », tout en avouant sa pertinence : « J'ai lu enfin *Candide* ; il faut avoir perdu le sens pour m'attribuer cette coïonnerie : j'ai, Dieu merci, de meilleures occupations. Si je pouvais excuser jamais l'Inquisition, je pardonnerais aux Inquisiteurs du Portugal d'avoir pendu le raisonneur Pangloss pour avoir soutenu l'optimisme. En effet, cet optimisme détruit visiblement les fondements de notre sainte religion ; il mène à la fatalité ; il fait regarder la chute de l'homme comme une fable, et la malédiction prononcée par Dieu même contre la terre comme vaine. C'est le sentiment de toutes les personnes religieuses et instruites : elles regardent l'optimisme comme une impiété affreuse » (lettre du 15 mars 1759 au pasteur Vernes).

*Candide* est l'œuvre majeur d'un écrivain qui, parmi les premiers, inventa le rôle de l'intellectuel engagé qui met politiquement son talent et son indépendance d'esprit au service d'une cause.

# 2 | *Candide* : du conte traditionnel au conte philosophique

*Candide* passe pour le meilleur « conte philosophique ». Ce genre littéraire, né au XVIIIe siècle, se distingue du conte traditionnel, tout en y ressemblant beaucoup. Ainsi Voltaire innove-t-il en utilisant une veine littéraire ancienne pour exprimer des idées philosophiques. Il crée un instrument d'argumentation et de vulgarisation qui se révèle une arme efficace dans sa lutte contre tous les dogmatismes.

## LES APPARENCES D'UN CONTE TRADITIONNEL

### Un « récit fabuleux »

Telle est la définition donnée dans l'article « conte » de l'*Encyclopédie* (1754), qui indique que « son but est moins d'instruire que d'amuser ». Cette définition pourrait aussi s'appliquer au roman, dont *Candide* se rapproche par la longueur.

Il s'agit d'abord de récits rendus invraisemblables par le merveilleux ou l'accumulation d'actions rocambolesques, éléments issus du Moyen Âge. On citera l'irréalité de l'Eldorado, au sol jonché de pierres précieuses (chap. 17-18), et l'incroyable série d'aventures vécues par le héros. Guerres, duels, fuites, voyages, piraterie, naufrages, morts ressuscités, tels sont les lieux communs du genre repris par Voltaire. Il donne aussi une place centrale à l'amour, avec les séparations, les retrouvailles, les infidélités, le mariage final. Le personnage de la « vieille » entremetteuse qui réunit les amants (chap. 7) est ancien. Le procédé des récits insérés dans la trame romanesque vient des romans baroques du XVIIe siècle : *L'Astrée* d'Honoré d'Urfé ou la *Clélie* de Mlle de Scudéry. Dans *Candide*, on notera les récits de la vieille (chap. 11-12), de Cunégonde (chap. 8), du baron (chap. 15), de Martin (chap. 20).

## ▌Des emprunts très variés

En fait, Voltaire s'inspire de toutes les formes prises par le conte à partir des éléments de base évoqués ci-dessus. En effet, jusqu'au XIXᵉ siècle. ce genre, contrairement au théâtre ou à la poésie, n'obéit pas à des règles précises. Très malléable, il est extrêmement diversifié. *Candide* a la particularité de réunir la plupart de ses tendances. Il reprend ainsi la tradition du conte oriental, largement imité en France depuis la traduction des contes arabes des *Mille et Une Nuits* par Antoine Galland au début du XVIIIᵉ siècle. L'arrivée de Candide et de Cacambo en Eldorado (passage dans une grotte où coule une rivière, chap. 17) rappelle le sixième voyage de Sindbad le marin. L'évocation de la Turquie, avec ses fruits exotiques et ses intrigues de palais, relève de la même veine exotique (chap. 30).

Les recettes du roman picaresque n'échappent pas non plus à notre auteur. Importé de l'Espagne par Lesage avec son *Gil Blas de Santillane* (1735), ce type de roman narre la vie mouvementée d'un *picaro*, aventurier pauvre, en lutte contre la faim et les brigands. Souvent débrouillard, il gravit et descend l'échelle sociale, devient parfois riche puis retombe dans le dénuement. Candide et Cacambo se rapprochent de ce personnage, le cadre hispanique de plusieurs chapitres correspond également à ce genre. Cacambo endosse, en outre, le rôle du valet malin qui aide un maître moins habile, rôle fréquent dans la littérature espagnole. Le roman picaresque préfigure d'ailleurs, par certains aspects, le roman réaliste, qui se répand au XVIIIᵉ siècle, rompant avec la tradition du roman héroïque ou la parodiant. Les personnages ne sont pas des nobles animés par un idéal chevaleresque, mais des bourgeois ou des déclassés aux prises avec les nécessités les plus matérielles, voire les plus sordides.

Enfin, *Candide* reprend dans les chapitres 17 et 18 la veine de l'Utopie et se rapproche du roman d'apprentissage (→ PROBLÉMATIQUE 8, p. 71). Il ressemble au roman libertin, qui au XVIIᵉ siècle mêle anec-

dotes grivoises, peinture satirique de la société et réflexions philosophiques. Cette dernière forme remontait au conte satirique médiéval
(Le *Roman de Renart*) et au conte rabelaisien. Mais Voltaire s'avance
davantage dans cette voie par la critique systématique d'un système
philosophique précis.

# LES ÉLÉMENTS PHILOSOPHIQUES

Au XVIII⁰ siècle, le sens du mot « philosophie » est large. Il englobe
la métaphysique, qui s'interroge sur la nature de Dieu, du monde et
de l'homme. Il s'étend aux conséquences des découvertes scientifiques, à l'étude des systèmes politiques et sociaux, aux règles
morales. *Candide* offre une palette de ces préoccupations.

## La présence de la métaphysique

Jusqu'à Voltaire, le conte ou le roman contiennent parfois une
morale implicite ou une conception du monde, mais sans contenu
vraiment philosophique. *Candide* se distingue par l'omniprésence
d'un débat métaphysique sur le Bien et le Mal. Son titre, *Candide ou
l'Optimisme*, évoque d'ailleurs clairement les thèses de penseurs du
XVII⁰ et du XVIII⁰ siècle, Leibniz, son disciple Wolf, ou le poète anglais
Pope. Pangloss et Martin personnifient l'un l'optimisme, l'autre le pessimisme. Le premier insiste sur « la raison suffisante » et l'enchaînement nécessaire des événements. L'autre jargonne moins, mais ses
thèses relèvent du manichéisme, théorie selon laquelle le Bien et le
Mal se partagent le monde. Les réflexions inspirées par le désastre de
Lisbonne (chap. 5) reprennent une polémique historique, qui opposa
les tenants du « tout est bien » aux intellectuels choqués par l'injuste
cruauté de ce cataclysme (→ PROBLÉMATIQUE 4, p. 50).

## Les autres aspects de la philosophie

Le conte aborde quasiment tous les domaines de réflexion du
XVIII⁰ siècle : intérêt pour la science, critique des excès de la religion,
réflexion politique, satire sociale.

Au chapitre 21, Candide interroge Martin sur une théorie selon laquelle la terre fut originairement une mer. Les chapitres 3 (combat des Abares et des Bulgares) et 23 (mort de l'amiral anglais, conflit du Canada) fustigent la conduite des guerres par les gouvernements. L'Eldorado donne un exemple d'idéal de société (chap. 17-18). La rencontre avec le nègre de Surinam (chap. 19) est l'occasion de dénoncer l'esclavage. L'ensemble du conte stigmatise l'intolérance et l'appétit de pouvoir de certains membres du clergé (les pères jésuites au Paraguay, chap. 14). Voltaire se moque également de ceux qui idéalisent l'amour comme « le consolateur du genre humain, le conservateur de l'univers, l'âme de tous les êtres sensibles » (chap. 4).

## PARTICULARITÉS DU CONTE PHILOSOPHIQUE

La légèreté du conte traditionnel et le sérieux de l'œuvre philosophique paraissent s'opposer. L'originalité de *Candide* est de les mélanger. Voltaire poursuit un double but : vulgariser, combattre les vices.

### La vulgarisation

Mêler fiction et réflexion savante permet de toucher un large public en transmettant des idées sous une forme plaisante. À partir de 1739, Voltaire utilise le conte pour diffuser ses idées. La vivacité du récit, les épisodes lestes, la parodie des romans picaresques, exotiques ou sentimentaux lui assurent un bon accueil du public. Candide correspond parfaitement à cette recette. L'une des théories les plus complexes du XVIIIe siècle, l'Optimisme, y est incarnée dans des personnages et des péripéties multiples

### Une arme redoutable

Le conte bénéficie d'autres avantages. Considéré comme un genre mineur, rarement signé, il autorise toutes les audaces. Voltaire n'a avoué qu'un seul de ses contes, *Micromégas*. Cet anonymat lui permettait d'échapper à la censure et à la prison.

Le conte se prête aussi au procédé consistant à user d'un personnage naïf. Sans préjugé mais d'une logique correcte, celui-ci s'étonne des injustices ou des incohérences du monde. Les *Lettres persanes* de Montesquieu, les *Voyages de Gulliver* de Swift montraient cette voie à Voltaire, qui la reprend dans ses *Lettres philosophiques* pour décrire l'Angleterre, et dans de nombreux contes. *Candide* illustre bien cette méthode : jeune homme « au jugement assez droit », il est choqué par l'Inquisition ou l'esclavage. Incité à s'identifier au héros, le lecteur finit par s'étonner d'aberrations que le conformisme lui faisait accepter.

En outre, le conte se mue facilement en pamphlet. Il caricature les personnes réelles sous un voile protecteur mais facilement reconnaissable (au chapitre 19, Vanderdendur reprend le nom d'un éditeur hollandais avec lequel Voltaire avait eu maille à partir). Il les mêle à des héros fictifs qui font la synthèse de divers vices. Il attaque de même les institutions françaises, par exemple en les transposant sous des apparences turques.

L'auteur joue donc de toute une gamme de registres. Le ridicule de Pangloss condamne l'Optimisme que défend ce personnage. La tragique situation du nègre de Surinam (chap. 19) dénonce l'esclavage en faisant partager l'émotion de Candide. Les abus du clergé jettent la suspicion sur l'Église : l'Inquisition à Lisbonne (chap. 6) et les jésuites au Paraguay (chap. 16), les religieux obsédés sexuels (le cordelier du chapitre 4) ou voleurs (le cordelier du chapitre 13), les coquineries de l'abbé périgourdin (chap. 22).

Voltaire présente donc une synthèse réussie de deux catégories littéraires *a priori* contradictoires : la fiction plaisante et la réflexion savante. Il crée un nouveau genre, le conte philosophique, dont *Candide* est le chef-d'œuvre.

# 3 La stratégie argumentative dans *Candide*

Arme de combat au service de la contestation des vices et des injustices, mais aussi de théories philosophiques qui révoltent Voltaire, *Candide* tient de l'apologue, de la fable, du conte, de la démonstration, du pamphlet. Il s'agit certainement de l'œuvre la plus complète et aboutie pour qui veut analyser comment un auteur cherche à convaincre, à séduire par tous les moyens de la raison, de l'émotion et du style.

Toute argumentation se traduit par une attention à trois éléments : la création de conditions propices à l'adhésion du lecteur, l'utilisation de procédés touchant à la démonstration, le choix de cibles et thèmes privilégiés. La particularité de *Candide* est de jouer sur l'argumentation à plusieurs degrés : Voltaire la manie contre ses adversaires, mais aussi contre l'argumentation elle-même, car il veut montrer ses limites.

## LES CONDITIONS DE L'ARGUMENTATION

Pour que le lecteur adhère à son œuvre et donc à ses idées, Voltaire use de trois moyens : il allie démonstration et plaisir, théorie et fiction dans la forme du conte philosophique; il fait appel à des références littéraires, culturelles ou historiques communes; il crée un héros susceptible d'identification.

### Théorie et fiction : le conte philosophique

Comme on vient de le voir (→ PROBLÉMATIQUE 2, p. 32), la caractéristique du conte philosophique, comme de l'apologue, de la fable, est de séduire tout en instruisant, de comporter à la fois une petite histoire fictive amusante et une leçon de morale.

L'objectif est d'être lu et compris par le public le plus large possible, même si l'auteur touche à des problématiques complexes et sérieuses. *Candide* a pleinement rempli cet objectif, puisqu'il fut dès la première année de sa parution un véritable best-seller français et européen, et qu'il en reste un encore de nos jours, où il est un ouvrage lu et étudié presque systématiquement dans les lycées et les classes préparatoires comme un modèle et l'exemple d'une réussite intemporelle et mondiale, au même titre que les *Fables* de La Fontaine.

Quel est donc son secret? De petit format, drôle et savant à la fois (rien à voir avec la lourde *Encyclopédie*, avec les traités de philosophie ou d'histoire, les essais politiques, historiques ou métaphysiques réservés aux spécialistes), il propose : un tour du monde pittoresque et rocambolesque en quelques jours; de l'amour, sous toutes ses formes y compris les plus indécentes, tout au long des pages comme fil conducteur; des références à l'actualité mais aussi à des questions universelles que tout homme commence à se poser très tôt (pourquoi le mal existe-t-il? comment se bâtir un bonheur sentimental et social?) ; un zeste d'érudition; une morale abordable par tous, à la fois banale et très moderne.

Raymond Queneau, auteur du XX$^e$ siècle, comparait ses propres romans, si proches, comme *Les Fleurs bleues*, de la démarche voltairienne, à un bulbe d'oignon « dont les uns se contentent d'enlever la pelure superficielle, tandis que d'autres, moins nombreux, l'épluchent pellicule par pellicule » (*Volontés*, n° 11). Tel est *Candide*, fait à la fois pour les érudits et les honnêtes gens de tous les temps.

## ▌Des références communes avec le lecteur

Lecteur, lectrice : il convient de rappeler le contexte. Au XVIII$^e$ siècle, seule une élite bourgeoise et noble accède à la lecture, et les ouvrages sont chers, mais les bases de l'éducation sont partout identiques (classiques grecs et romains, Bible, littérature française, italienne...), et l'opinion publique, au-delà des frontières, commence à se former. Même si la télévision et la radio n'existent pas, les nouvelles courent vite autant que les œuvres de l'esprit français, italien ou allemand, et l'on traduit d'une langue à l'autre assez facilement, on lit des pièces de théâtre ou des contes dans les salons.

*Candide*, paru en 1759, reprend les grands événements et problématiques de l'actualité européenne et mondiale de cette moitié du XVIII<sup>e</sup> siècle. Actualité, la guerre de Sept Ans (déclenchée en 1756) qui est l'équivalent, toutes proportions gardées, des deux guerres mondiales du XX<sup>e</sup> siècle puisqu'elle met aux prises la plupart des grandes puissances européennes et aboutit à des massacres à grande échelle (chap. 3; voir p. 54, 114), le séisme de Lisbonne qui fit plus de dix mille victimes en 1755 (chap. 6), la polémique autour des jésuites qui aboutira à leur expulsion de France en 1764 (chap. 6), l'exécution de l'amiral John Byng en Angleterre en 1757 (chap. 23), etc. Le conte aborde aussi, sous une forme simplifiée, les débats intellectuels sur le bon sauvage (chap. 16), sur la condition des nègres (chap. 19; voir p. 56, 121), l'optimisme (→ PROBLÉMATIQUE 4, p. 44)...

*Candide* parodie la Bible (la Genèse avec la chute du paradis au chap. 1, les généalogies du chap. 4; le livre des Rois avec la liste des princes détrônés du chap. 30...) et se présente comme une variation sur l'*Odyssée* (où le château de Thunder-ten-tronckh tient la place de l'Ithaque, où Cunégonde campe une malicieuse Pénélope tout ce qu'il y a de plus infidèle, la belle dame de Paris du chapitre 22 une Circé moderne, le voyage de Candide-Ulysse étant étendu bien au-delà de la Méditerranée...).

Outre ces références universelles, *Candide* mêle tous les genres littéraires plaisants de l'époque, en particulier ceux du divertissement : comédie, roman picaresque, conte oriental (→ PROBLÉMATIQUE 2, p. 37).

Il existe aussi, dans *Candide*, tant de clins d'œil érudits dus à l'immense culture historique et littéraire de Voltaire que peu de lecteurs peuvent les saisir toutes. Mais qu'importe : chacun y trouve des sujets, des symboles, des exemples, des références qui le touchent; la subtilité des détails est une richesse de plus qui invite à la relecture et assure à sa réception une exceptionnelle postérité (→ PROBLÉMATIQUE 13, p. 101).

## Un héros sympathique

Candide, le héros, auquel on imagine que le lecteur va s'identifier, et qui porte les idées de l'auteur? Une marionnette, à peine plus vraisemblable que ses comparses, malgré son omniprésence. Des critiques le déplorent depuis deux siècles et demi. À tort, certainement. Car avec ses personnages, Voltaire manipule son lecteur à trois niveaux différents, ce qui rend son œuvre si moderne[1].

Candide est indéniablement un héros sympathique : jeune, beau, plein de bon sens, ardent et constant en amour (malgré une vénielle faute due aux séductions de la vie parisienne, chap. 22), fidèle à ses amis, sensible aux malheurs des autres, et qui sait évoluer, même si c'est lentement, vers la maturité et la réflexion. La *captatio benevolentiae* (procédé rhétorique consistant au tout début d'un discours ou d'une œuvre à capter l'intérêt et la bienveillance du public) joue pour lui dès le chapitre 1, qui remplit ainsi pleinement sa fonction[2]. À la fin du conte, notre Candide est devenu un sage patriarche, qui a renversé le rapport de force hiérarchique social et intellectuel du début où il figurait un bâtard à peine accepté par le baron et la baronne, disciple et amoureux éperdu d'un philosophe imbécile et d'une sensuelle oie blanche (chap.30 ; voir p. 25)

Et pourtant... il est vrai que Candide est plus stylisé, moins profond que son futur frère l'Ingénu par exemple, de même que Cunégonde semble insignifiante à côté de Mlle de Saint-Yves dans le même conte *L'Ingénu* de Voltaire. L'identification est-elle vraiment possible avec cette silhouette girouette du Mal et du Bien, toujours bernée, abusée, victime dont on rit et qui ne finit dans la sagesse qu'au tout dernier moment?

La grandeur cachée de Candide est justement, c'est le troisième niveau d'interprétation, dans son inconsistance et son effarement devant l'absurdité du monde : il préfigure des analyses modernes de la condition humaine, sur l'incapacité de comprendre et de maîtriser,

---

**1.** Ce rôle des personnages, à la fois très stylisés et humains, est développé dans la problématique 10, p. 82.
**2.** Voir les repères, p. 10 et la lecture 1, p. 108.

autrement que par une morale simple et humble, une réalité qui échappe à l'entendement et à l'action.

# LES INSTRUMENTS
# DE L'ARGUMENTATION

## L'appel à la raison

Face aux préjugés et aux injustices, qui reposent sur l'habitude, sur la pesanteur des coutumes sociales et des superstitions, Voltaire en appelle au bon sens, au « jugement assez droit » de Candide (chap.1). Le procédé est constant, qu'il s'agisse de religion, de castes, de philosophie.

Prenons le séisme de Lisbonne : la science tentait alors, elle a fait quelques progrès depuis (par la tectonique des plaques), d'expliquer de tels phénomènes, sans relation aucune avec la moralité des habitants. C'est déjà ce que disait Voltaire en dénonçant l'Inquisition qui réagissait par des sacrifices humains : « Il était décidé par l'université de Coïmbre, que le spectacle de quelques personnes brûlées à petit feu en grande cérémonie, est un secret infaillible pour empêcher la terre de trembler. »

De même, tout au long du conte, Voltaire remet en cause « le droit de la guerre » (chap. 3, voir p. 54, 114), le préjugé social qui interdit à Candide d'épouser sa baronnette, l'exploitation des esclaves nègres (chap. 19, voir p. 56, 121)... En religion, comme Fontenelle ou d'autres penseurs du XVIIIe siècle, il retourne aux textes et aux enseignements primitifs du christianisme, écartant les interprétations intolérantes du clergé.

## Le recours à l'expérience

Toute la frénésie de ce conte mené de par le monde sur un rythme échevelé n'a pour but que de donner au héros des expériences de la réalité de la vie, directes ou indirectes (par les récits de personnages), qui contredisent les enseignements de Pangloss et l'optimisme. Expérience sur les maux physiques et moraux (séisme, guerre, pouvoir de l'argent...), sur la fragilité de l'amour, des ambitions (chute des rois, perte des moutons de l'Eldorado). C'est le personnage de Martin qui symbolise cet apport de l'expérience : « Vous êtes bien dur », lui dit Candide quand son compagnon doute de la capacité de Cunégonde de rendre heureux son soupirant. « C'est que j'ai vécu », répond Martin, qui en sait tant sur la relativité des coutumes que plus rien ne lui paraît extraordinaire.

À la fin, c'est aussi l'expérience de l'ennui, du désœuvrement que découvre la petite troupe en Propontide.

## La critique des logiques vides de sens

L'une des particularités de *Candide* est la critique de certaines formes de raisonnement philosophique dont les apparences savantes cachent des erreurs de logique. La plupart des discours de Pangloss entrent dans cette satire : il renverse les effets et les causes lorsqu'il prétend que les nez ont été faits pour porter des lunettes (chap. 1) ; il mélange l'origine de la vérole avec celle du chocolat et de la cochenille (chap.4), justifie tout événement par des causes finales « *a priori* » sans queue ni tête (« en lui prouvant que la rade de Lisbonne avait été formée exprès pour que cet anabaptiste s'y noyât », chap. 5).

Le discours de Cacambo aux Oreillons est un autre morceau de bravoure, destiné à montrer que l'éloquence peut défendre n'importe quelle thèse avec efficacité : alors que Candide et son valet se voient menacés d'être bouillis et mangés par des sauvages, le héros recommande à Cacambo de « leur représenter quelle est l'inhumanité affreuse de faire cuire des hommes » (chap. 16). Mais le valet choisit une autre voie : son discours en appelle certes aux liaisons logiques (« en effet », « mais »), au « droit naturel », mais c'est pour développer l'argument qu'il faut dévorer ses ennemis, non ses amis...

# LA PORTÉE DE L'ARGUMENTATION

## Le refus des dogmatismes

*Candide* est un manifeste contre tous les dogmatismes, tous les fanatismes, quels qu'ils soient. Aucune théorie, ni l'optimisme de

Pangloss ni le pessimisme de Martin, aucune religion (il lance ses piques constamment tant contre les catholiques, les protestants, que les musulmans) ne survit à sa satire. Arguments d'autorité de Pangloss ou des universitaires de Coïmbre (chap. 6), pédanterie des journalistes littéraires (chap. 22), illusions de l'idéalisation des bons sauvages (chap. 16), préjugés nobiliaires succombent tour à tour.

Après avoir été tenté, ainsi que tant d'autres, par le confort intellectuel de théories en apparence bien charpentées, comme l'optimisme, Voltaire donne ici une leçon d'humilité très moderne sur la collusion des intellectuels et des injustices ou des totalitarismes.

## Apprendre à penser et à vivre malgré l'absurdité du monde

Reconnaître les limites de la raison humaine, renoncer à expliquer complètement le monde: c'est la conclusion à laquelle arrive Candide au dernier chapitre. Paradoxalement, toute l'argumentation du conte aboutit à une aporie : Voltaire argumente pour nous montrer que l'argumentation n'a que rarement du sens et qu'il convient de s'en méfier. Plus efficacement encore, il n'argumente pas : il entasse des événements désordonnés, des récits de malheurs, pour montrer que la cacophonie du monde résiste à toute analyse.

Tout *Candide* est un apologue résumé par celui du derviche turc, fable dans la fable : les hommes sont des souris embarquées sur un navire dont elles ignorent où les conduit le divin navigateur (chap. 30). D'où cette morale finale si banale, qui se raccroche à des valeurs comme l'amitié ou le travail, après tant d'aventures et d'espoirs de richesse et d'amour.

C'est pourquoi on a parlé, pour *Candide*, d'anti-roman, d'anti-conte ou d'antihéros. On pourrait également parler d'antiargumentation, tant Voltaire, si maître dans l'art de raisonner et l'art de l'éloquence, en montre ici, avec la même *maestria*, les limites et les dangers.

# 4 | Optimisme et pessimisme : le problème du Mal

Le titre, *Candide ou l'Optimisme*, montre déjà que le véritable sujet du conte de Voltaire est philosophique. Dans le débat qui, depuis l'Antiquité, oppose les penseurs sur le problème du Mal, l'auteur prend parti. Il critique une thèse alors à la mode, l'Optimisme, et propose une autre voie.

## LA QUERELLE DE L'OPTIMISME

### Le contexte : le problème du Mal

L'existence du mal physique (maladie, catastrophes naturelles) ou moral (vices humains) est une énigme qui a suscité toutes sortes de réponses, parmi lesquelles figure l'optimisme. Candide, obsédé par ce problème, rencontre sur son chemin ces différentes thèses.

La première réponse vint des théologiens chrétiens, qui tentèrent de concilier l'existence du Mal avec celle d'un Dieu parfait et bon. Pour eux, la cause du Mal est le péché : l'homme choisit librement de mal agir, il en est puni et Dieu est innocent de tous les malheurs qui nous frappent.

Mais comment expliquer, alors, qu'un homme juste subisse des épreuves, qu'un tremblement de terre ébranle une cité où vivent à la fois les bons et les mauvais ? Un catholique comme Bossuet répond au xviiᵉ siècle dans son *Discours sur l'Histoire universelle* : Dieu, en fait, mène le monde vers une fin heureuse, et les maux sont une composante nécessaire à cette évolution, dont le sens nous échappe.

Inexplicable, la bonté divine dépasse l'entendement humain et doit faire l'objet d'une croyance aveugle, d'une foi. On retrouve un écho de ces idées dans la lettre envoyée par Jean-Jacques Rousseau à Voltaire, le 18 août 1756, après le désastre de Lisbonne, et dans la parabole du derviche au chapitre 30 de *Candide*.

## L'optimisme

Au XVIIIe siècle, des philosophes, catholiques ou protestants, tentent au contraire de donner une explication entièrement rationnelle de l'action divine. Dieu, affirme Leibniz dans sa *Théodicée* (1710), est bon, car il a créé le meilleur monde possible. En effet, l'acte de création ne peut être parfait (seul Dieu est parfait). Mais si l'univers créé est globalement parfait, certaines de ses parties ou de son évolution restent imparfaites, c'est-à-dire touchées par un mal nécessaire au triomphe du Bien. Ainsi s'explique la célèbre formule « Le Tout est bien ». Leibniz – ou son disciple Wolf – s'emploient à prouver cette théorie par le raisonnement des causes finales : toute action, tout mal fait partie d'un enchaînement rigoureux de faits qui conduisent à un bien. Ces thèses apparaissent dans les discours de Pangloss, souvent reproduits par Candide.

## Les autres théories

À l'optimisme s'oppose le pessimisme, mais ce terme n'apparaît qu'au XIXe siècle. En fait, l'optimisme a deux sortes de contradicteurs : certains restent déistes (ils continuent à croire en Dieu), d'autres sont athées (ils nient l'existence de Dieu).

Parmi les déistes, les protestants croient à l'absence de liberté humaine : Dieu prédestine les hommes soit au salut, soit à la damnation, quels que soient leurs actes. Les causes de son choix nous échappent entièrement. Les jansénistes (dont l'écrivain Blaise Pascal) sont des catholiques très proches du protestantisme. S'y ajoutent les manichéens, représentés dans le conte par Martin. Ils pensent que s'affrontent deux puissances, l'une bonne (Dieu), l'autre mauvaise (le Diable). Cette dernière est en général victorieuse, ce qui explique l'omniprésence du Mal.

Pour les athées, il n'existe pas de Dieu ni d'organisation bonne ou mauvaise du monde, tout s'explique scientifiquement par des mécanismes qui n'ont pas de rapport avec la morale. Les phénomènes naturels n'ont rien à voir avec une punition divine. Le Mal moral n'est que le résultat des libres actions de chacun, bonnes et mauvaises. La querelle entre pessimisme et optimisme n'a donc pas lieu d'être. L'athéisme se trouve chez les libertins du XVIIe siècle et chez certains philosophes du XVIIIe siècle. L'expression de leurs thèses est très discrète, car le christianisme tout-puissant cherche à étouffer leurs voix par la répression ou la censure.

## LA CRITIQUE DE L'OPTIMISME PAR VOLTAIRE

### Le Mal est un scandale

Durant toute sa vie, Voltaire, comme tant de ses contemporains, s'est interrogé sur la question centrale du Mal. Dans sa jeunesse, son tempérament l'a poussé vers l'optimisme. Il l'exalte, par exemple, dans son poème Le *Mondain* et le défend à plusieurs reprises contre le pessimisme de Blaise Pascal. Mais, à l'époque de *Candide*, une longue série de malheurs collectifs ou personnels ont remis en cause ses certitudes.

Dans les années 1750, le débat sur l'optimisme est à son comble. Les disciples de Leibniz, comme Wolf ou l'Anglais Pope, ont vulgarisé et systématisé ses idées. La plupart des amis de Voltaire sont des optimistes. En 1753, l'Académie de Berlin propose comme sujet de réflexion l'analyse de la proposition « Tout est bien ». Le prix est décerné à la dissertation d'un leibnizien. Mais le tremblement de terre de Lisbonne (1755), puis la guerre de Sept Ans entre la Prusse et d'autres pays européens (1756-1763) provoquent une crise intellectuelle en Europe. Voltaire échange de nombreuses lettres à ce sujet. Il écrit également le *Poème sur le désastre de Lisbonne*, qui exprime le choc ressenti par la mort incompréhensible et injuste de dizaines de milliers d'innocents.

Jusque-là, Voltaire se satisfaisait des explications rationnelles du Mal, censé se transformer en Bien grâce à la volonté divine. Mais maintenant, il ne supporte plus la violence et le malheur : les raisonnements ne le consolent pas, le Mal est un scandale injustifiable. Sensible presque physiquement à la souffrance d'autrui, éprouvé lui-même, Voltaire est choqué à la fois par les manifestations du Mal et par l'optimisme. Celui-ci prétend, en effet, l'enfermer dans un raisonnement rigoureux, mais ignorant des souffrances humaines.

## La satire de l'optimisme

C'est pourquoi la satire voltairienne de l'optimisme sera aussi violente que sa révolte devant le Mal et ses partisans.

La force de persuasion de *Candide* consiste à rendre les optimistes ridicules en montrant la contradiction entre une réalité horrible et les discours théoriques de Pangloss. Par exemple, au chapitre 4, le précepteur, ressuscité à grand-peine du massacre du château, défiguré par une maladie, sans ressources, professe que chacun de ces maux est « indispensable dans le meilleur des mondes ». Le discours optimiste précède une tempête, un naufrage, un tremblement de terre (chap. 4). Au chapitre 28, après avoir été pendu, disséqué, roué de coups, Pangloss dit encore : « Je suis toujours de mon premier sentiment [...] il ne me convient pas de me dédire, Leibniz ne pouvant avoir tort. »

Pour mettre les rieurs de son côté, Voltaire caricature ses adversaires, en déformant leur pensée. En fait, il explore les limites extrêmes du système. Pangloss soutient par exemple que « plus il y a de malheurs particuliers, et plus tout est bien » (chap. 4). Le précepteur va ici plus loin que les optimistes qui tentaient simplement d'expliquer le Mal, et non d'en faire l'éloge à ce point. Pangloss est un égoïste insensible : il empêche Candide de sauver leur bienfaiteur Jacques, puis il pérore au lieu de secourir son élève blessé lors du tremblement de terre (chap. 5). Ce personnage antipathique est un pantin sans cœur et sans véritable intelligence.

# LA VOIE PROPOSÉE PAR VOLTAIRE

## Le refus du pessimisme

La critique de l'optimisme dans *Candide* ne s'accompagne pas de la défense d'une autre des grandes tendances alors soutenues par les intellectuels.

Le pessimisme ne trouve pas grâce aux yeux de Voltaire, qui se refuse à croire que le Mal dirige le monde. Mais *Candide* est sans doute le conte où Voltaire se rapproche le plus du pessimisme. On y trouve même la tentation du suicide (chap. 24 : « Cunégonde est morte sans doute, je n'ai plus qu'à mourir »). Martin est indéniablement moins ridicule que Pangloss et plus lucide sur le monde. Mais son extrémisme ne tient pas suffisamment compte du Bien qui, malgré tout, existe sur la terre, et de l'appétit de bonheur des hommes. Comme Pangloss l'optimiste, Martin le pessimiste est contredit par la réalité lorsqu'il affirme que tout va mal, que Cacambo ne sera pas fidèle à son maître, ou que celui-ci ne retrouvera pas Cunégonde (chap. 24 puis 26).

## Le refus de toutes les métaphysiques

La principale leçon du conte tient dans le refus des controverses philosophiques, vaines et nocives.

L'Eldorado, qui occupe une place centrale dans le conte, et qui représente d'une certaine façon le meilleur des mondes possibles, est peuplé d'habitants déistes. Il s'agit d'une religion sans prêtres, sans disputes sur la nature exacte de Dieu, du Bien ou du Mal. Tous les hommes y sont du même avis, et remercient en musique un Dieu généreux, qui leur a donné le bonheur.

Bien sûr, il s'agit d'une utopie, d'un monde trop beau pour exister, car le Mal n'y a pas sa place. Mais la petite métairie de la fin du conte reproduit un peu cette harmonie rêvée. Elle rassemble en effet un optimiste, un manichéen, un frère théatin devenu musulman, et ces hommes vivent ensemble sans se battre. À défaut d'une croyance unique, Voltaire pense que la tolérance peut réunir les êtres les plus dissemblables autour de quelques idées simples, et que là réside l'essentiel.

Un passage, surtout, plaide pour le refus des métaphysiques : peu avant de décider de « cultiver [son] jardin », Candide reçoit la leçon du derviche turc, qui lui conseille de ne pas chercher à comprendre comment marche l'univers : « Qu'importe [...] qu'il y ait du mal ou du bien. Quand Sa Hautesse envoie un vaisseau en Égypte, s'embarrasse-t-elle si les souris qui sont dans le vaisseau sont à leur aise ou non ? » (chap. 30). Les hommes sont les souris, Dieu est comme le grand sultan de Turquie. Les desseins du second échappent entièrement aux premiers, dont toutes les spéculations ne mènent à rien. Il ne leur reste plus qu'à se bâtir un petit bonheur à leur mesure, en s'écartant des violences humaines, comme le fait le bon musulman cultivateur, rencontré ensuite.

En imposant le silence à Pangloss, Candide ne nie pas entièrement l'idée d'une Providence. Mais il reconnaît que le détail des volontés divines reste impénétrable et sans intérêt pour l'homme. Celui-ci doit se contenter de souffrir le moins possible, et pour cela, il doit prendre son bonheur en main. La principale rupture avec l'optimisme est dans ce volontarisme pragmatique.

*Candide* représente une étape capitale dans la réflexion philosophique de Voltaire, qui, devant les catastrophes de son temps, renonce à l'optimisme au point de le combattre. La réponse donnée dans le conte n'est pas définitive : Voltaire continuera à osciller entre optimisme et pessimisme. Mais le mérite de son œuvre est d'avoir exposé, avec acuité, l'un des problèmes les plus importants posés à l'homme.

# 5 | La satire religieuse et sociale

## RELIGION ET INTOLÉRANCE

« Écrasons l'Infâme », disait souvent Voltaire pour inciter à la révolte contre les abus des religions. Dans *Candide*, la satire frappe les vices et l'appétit de pouvoir des clergés, ainsi que l'intolérance. Mais le conte propose également un modèle de religion.

### La satire du clergé

Dès le Moyen Âge, les fabliaux dénoncèrent certains religieux voleurs, gourmands, coureurs de jupons, qui ne respectaient pas les vertus chrétiennes. Voltaire reprend cette tradition, en l'étendant à tous les cultes issus de l'Ancien Testament.

Dans *Candide*, juifs, chrétiens et musulmans commettent allégrement tous les péchés. Les soldats jésuites tuent (chap. 14), un imam cruel persuade les janissaires turcs de manger la fesse de leurs prisonnières (chap. 12), l'abbé périgourdin dupe Candide (chap. 22), un cordelier vole Cunégonde (chap. 10). Les juifs sont représentés par le colérique Issachar (chap. 9) et par des fripons (chap. 30). Il n'est pas dit qu'il s'agit de membres du clergé, mais Issachar était le nom d'un rabbin dans un roman, *Les Femmes de mérite*, antérieur à *Candide*.

Voltaire, comme dans les fabliaux, insiste sur la luxure : le Grand Inquisiteur convoite Cunégonde (chap. 8), la vieille est la fille d'un pape (chap. 11), un cordelier abuse de Paquette, qui se prostitue ensuite à des prêtres (chap. 24), etc.

Aux vices moraux s'ajoute la collusion avec le pouvoir. La religion relève du domaine spirituel, et ne devrait pas, si l'on suit les préceptes du Christ, se mêler du pouvoir temporel, c'est-à-dire du pouvoir politique ou économique. Or au Paraguay, les pères jésuites, dans leurs plantations prospères, exploitent durement les Indiens (chap. 14) : « Los Padres y ont tout, et les peuples rien » (chap. 14). Une scène significative souligne cette opposition : pour les religieux, « un excellent déjeuner était préparé dans des vases d'or », au milieu d'un « cabinet de verdure » bien orné, alors que « les Paraguains mangèrent du maïs dans des écuelles de bois, en plein champ, à l'ardeur du soleil » (chap. 14). Voltaire savait que la réalité historique était plus nuancée, comme le montre son *Essai sur les mœurs*, où il reconnaît que les jésuites ont souvent protégé les Indiens contre la cruauté des colonisateurs européens. Mais la satire ne se prête pas aux nuances.

Dans *Candide*, la religion encourage la guerre. Les rois abare et bulgare « faisaient chanter des *Te Deum*, chacun dans son camp », c'est-à-dire des prières remerciant Dieu pour son aide au combat (chap. 3). Au Paraguay, les pères jésuites sont en guerre contre l'Espagne, où les mêmes jésuites conseillent le roi (chap. 14). Au Maroc, les musulmans s'entre-tuent « sans qu'on manquât aux cinq prières par jour ordonnées par Mahomet » (chap. 11). La religion est également complice de l'esclavage : le nègre de Surinam observe que, d'un côté, les prêtres chrétiens déclarent que « nous sommes tous enfants d'Adam, blancs et noirs », et que, de l'autre, ils laissent les maîtres traiter les Africains plus mal que des bêtes (chap. 19) et profiter de leur travail pour s'enrichir.

Le destin de frère Giroflée offre un autre exemple des liens entre argent et religion. Comme souvent à l'époque, où l'héritage familial n'est donné qu'à l'aîné des enfants, les cadets des riches, auxquels il est interdit d'avoir un métier à cause de leur condition noble, sont contraints d'entrer dans le clergé, donc de rester célibataires, voire enfermés dans un couvent (chap. 24).

## L'intolérance

Pour Voltaire, le crime le plus grave est l'intolérance, qui conduit à mépriser ou tuer ceux qui ne pensent pas comme soi, qu'il s'agisse de courants internes à une religion, ou de conflits entre religions

Dans *Candide*, la cible privilégiée est l'Inquisition, qui détient la palme de cette intolérance. Cette procédure de justice de l'Église était dirigée contre les hérétiques. Née en Italie au XII$^e$ siècle, elle s'implanta en France, puis au XV$^e$ siècle en Espagne, où sa cruauté trouva son point culminant. Un juge et un tribunal d'Église avaient le droit, en dehors de tout contrôle, de rechercher, poursuivre, torturer et tuer. Les principales victimes de l'Inquisition furent les juifs, les musulmans espagnols, mais également les protestants, et tous les catholiques soupçonnés de déviance théorique ou d'irrespect pour les règles religieuses.

Au chapitre 6, l'autodafé concerne deux catholiques de la région de Biscaye qui ont épousé leur marraine, deux Portugais qui, comme les juifs, se sont abstenus de manger du porc, et enfin, Candide et Pangloss dont les idées semblent suspectes. Châtiments disproportionnés pour ces actes dont l'existence ne repose sur aucune preuve, et qui constituent des entorses à des règles tatillonnes et injustifiées. Celles-ci n'ont rien à voir avec les véritables valeurs prônées par la religion chrétienne : l'amour et le respect d'autrui, la charité, l'aspiration à une rencontre spirituelle avec Dieu. La religion ne respecte même pas les morts, puisque le cadavre du juif Issachar est jeté à la voirie alors que celui de l'Inquisiteur est enterré en grande pompe.

Mais l'intolérance n'est pas propre à l'Inquisition. Les catholiques marquaient leur mépris pour l'immoralité supposée des comédiens en leur refusant une sépulture dans les cimetières (cas des actrices évoquées au chap. 22). Victimes de la haine des catholiques, les protestants de Voltaire répondent avec une intolérance identique : un pasteur prêche longuement sur la charité mais refuse ensuite d'aider Candide parce qu'il le soupçonne de ne pas croire que le pape est « l'Antéchrist », c'est-à-dire l'ennemi du Christ (chap. 3). Entre musulmans et chrétiens sévit une guerre de religion, par exemple à Constantinople, où s'opposent janissaires turcs et troupes russes (chap. 12).

Partout règnent ainsi les conflits entre sectes que séparent des différences minimes, dérisoires et peu fondées. Les crimes sont également commis au nom de superstitions : l'autodafé veut apaiser la colère de Dieu à la suite d'un tremblement de terre (chap. 6).

## La religion prônée par Voltaire

Face à ces abus, l'auteur donne l'exemple d'individus et de sociétés dont la religion est uniquement spirituelle, pacifique et charitable.

Jacques (chap. 3-4) appartient à une tendance religieuse qui ne respecte pas les règles habituelles du baptême catholique, mais il aide son prochain sans s'interroger sur ses croyances. Candide, catholique élevé dans une région historiquement très opposée au protestantisme, la Westphalie, est assez sensible et intelligent pour s'étonner des intolérances. Martin, quoique membre d'un mouvement jugé hérétique, le manichéisme, respecte les idées des autres, notamment l'optimisme de Candide. Persuadé que le Mal triomphe sur la terre (telle est la doctrine manichéenne), il répond avec modestie aux espoirs de son ami sur l'existence du Bien (chap. 20) : « Il y a pourtant du bon, répliquait Candide. – Cela peut être, disait Martin ; mais je ne le connais pas. »

L'Eldorado et la métairie donnent chacun l'exemple d'une société pratiquant une religion exempte des défauts dénoncés par Voltaire. En Eldorado, pas de clergé, pas de « moines qui enseignent, qui disputent, qui gouvernent, qui cabalent, et qui font brûler les gens qui ne sont point de leur avis » (chap. 18). Les cérémonies se réduisent aux prières de remerciement à Dieu pour ses bontés (noter la différence avec l'autodafé du chapitre 6). La religion est très simple, donc acceptable par tous : elle se limite au culte d'un Dieu généreux et encourage l'amour entre les hommes au lieu de les diviser par les finesses théologiques sur la nature divine. Pour Voltaire, cette simplicité et surtout l'absence des prêtres expliquent le bonheur de ce pays.

En Turquie, au chapitre 30, Candide recrée une harmonie identique pour son groupe d'amis : cohabitent des chrétiens, dont deux partisans de tendances opposées (l'optimiste Pangloss et le pessimiste Martin), et un catholique converti à l'Islam (Giroflée). Le voisin est un vieux Turc qui sait bien recevoir les étrangers quelle que soit leur religion (« les deux filles de ce bon musulman parfumèrent les barbes de Candide, de Pangloss, et de Martin »). Cette réussite vient du fait que deux conditions ont été remplies : le baron jésuite a été expulsé (ses prétentions et son intolérance sont indéracinables) ; Candide refuse désormais d'entrer dans le débat sur la nature du Bien, du Mal et de Dieu, comme le montre le silence imposé par l'élève à son maître Pangloss (« Cela est bien dit, [...] mais il faut cultiver notre jardin »).

## TROIS FLÉAUX HUMAINS

### La guerre

La guerre est l'un des principaux thèmes du conte, sans doute parce que dans la liste des maux, elle est l'un des plus absurdes, des plus cruels, et malheureusement, des plus répandus.

Les causes de conflits sont dérisoires au regard des souffrances et des ravages qu'ils provoquent, ne cesse de dire Voltaire. La guerre entre les Abares et les Bulgares (chap. 3) n'a pas d'origine connue, mais elle dévaste les deux territoires et ne profite donc à aucun des camps. Voltaire pense à la guerre de Sept Ans (1756-1763), déclenchée par la Prusse pour conquérir la Silésie, mais dont les effets ruinèrent l'agresseur. Au chapitre 23, Martin explique à Candide que l'Angleterre et la France se battent « pour quelques arpents de neige vers le Canada », et dépensent pour cette « belle guerre » bien plus que cette contrée ne vaut. Cette phrase célèbre résume, en la simplifiant un peu trop, une guerre ouverte en 1756 pour d'immenses territoires souvent infertiles. Il demeure que les conflits viennent de l'ambition de monarques plus désireux d'asseoir leur gloire sur la conquête que sur le bien-être des peuples. Les princes sont ainsi désignés comme les principaux responsables de ces « boucheries héroïques » (chap. 3), expression incisive qui allie les réalités sinistres de la guerre et le prestige malsain qui l'entoure. Les soldats, eux, sont des brutes mercenaires au service d'un monarque, ou des victimes enrôlées par force comme Candide, et subissant les brimades des gradés (chap. 3) avant de s'entre-tuer sans savoir pourquoi.

Enfin, Voltaire n'épargne pas au lecteur la description de scènes sanglantes : « Ici des vieillards criblés de coups regardaient mourir leurs femmes égorgées, qui tenaient leurs enfants à leurs mamelles sanglantes [...] »; « Des cervelles étaient répandues sur la terre à côté de bras et de jambes coupés » (chap. 3). La mère de la vieille est écartelée par les vainqueurs qui se la disputent (chap. 11).

## Les inégalités sociales et l'exploitation de l'homme par l'homme

Nantis et nobles écrasent les pauvres de leur mépris et s'accrochent à des privilèges dérisoires. Le baron considère que le nombre de quartiers de noblesse l'emporte sur les qualités humaines : il empêche le père de Candide, un « bon et honnête gentilhomme », d'épouser la femme qu'il aime (chap. 1). Le gouverneur de Buenos Aires apparaît ridicule de suffisance tant il est imbu des particules qui ornent son nom (chap. 13). Le prestige illusoire de la noblesse est utilisé par la fausse marquise parisienne pour attirer des naïfs qu'elle dépouille de leur argent (chap. 22).

Le rôle de l'argent prédomine dans les relations humaines : le vol et les friponneries y abondent (chap. 1, 19, 21, 22, etc.). La douleur ou la mort des victimes du tremblement de terre n'empêchent pas le matelot du chapitre 5 de ne penser qu'au profit qu'il peut tirer de la situation en pillant les ruines. Lorsqu'il tombe malade, Candide n'est entouré d'amis que parce qu'il est riche (chap. 22). Seuls Candide et Jacques utilisent leur fortune pour aider les autres. Pococuranté, lui, en a suffisamment pour ne pas voler ou jalouser, mais se contente d'en jouir seul sans même sentir le bonheur d'être privilégié (chap. 25).

Voltaire rejoint la critique sociale qui conduira à la révolution française de 1789, en dénonçant les inégalités qui séparent les groupes sociaux entre ceux qui peuvent vivre dans le luxe et les pauvres humiliés qui gagnent leur vie dans les pires conditions. À Thunder-ten-tronckh, le système féodal donne aux nobles des privilèges que ne justifient ni leurs mérites ni leur travail. Ainsi Candide, parce qu'il n'est qu'un bâtard, se retrouve au rang des serviteurs du baron (chap. 1), et se verra refuser la main de Cunégonde. Pourtant, il est plus intelligent et plus humain que le jeune baron, qui jouit de toutes les prérogatives sans s'être donné d'autre peine que celle de naître.

Pauvres et riches sont également inégaux devant la maladie : les médecins ne soignent que les nantis (chap. 22). Ils ne sont pas non plus égaux devant la justice, puisqu'il suffit de payer pour éviter la prison (chap. 22).

L'inégalité culmine par l'exploitation des hommes par d'autres hommes. La condition féminine et l'esclavage sont deux exemples extrêmes de cette injustice dénoncée dans *Candide*. Cunégonde, la vieille et Paquette connaissent le viol et diverses formes de prostitution. Paquette surtout en fait un métier, subi avec dégoût.

En Guyane hollandaise, l'horreur saisit le lecteur devant la condition des esclaves. Leur labeur harassant dans les plantations n'est rétribué que par un peu de nourriture pour survivre, et « un caleçon de toile pour tout vêtement deux fois l'année ». On les ampute s'ils ont un accident du travail, et s'ils tentent de s'enfuir ou de se révolter (chap. 19). Les animaux domestiques sont mieux traités : « Les chiens, les singes et les perroquets sont mille fois moins malheureux que nous », remarque le nègre de Surinam.

## Les insuffisances de la justice

Également révoltant, pour l'auteur, est le simulacre de justice et de droit installé pour défendre les faibles contre l'arbitraire, et favorisant en fait l'injustice.

Le chapitre 2 dénonce les théories du droit politique, élaborées au XVIIᵉ siècle, qui justifient la guerre par de pseudo-arguments. À plusieurs reprises (chap. 3, 8, 11, 12), Voltaire mentionne « la loi de la guerre ». Il évoque un « village abare que les Bulgares avaient brûlé, selon les lois du droit public ».

La justice et le droit ne sont non plus d'aucun secours pour les esclaves. C'est le très officiel Code noir, instauré par les Français en 1685 dans leurs colonies, qui considérait les Noirs comme des biens meubles, préconisait de leur donner deux habits par an, et fixait l'échelle des punitions, dont les mutilations.

Hors ces cas extrêmes, la justice scandalise Voltaire par les détournements de ses missions. L'Inquisition est une parodie de jugement au service de l'intolérance. Elle fait subir à des innocents les méfaits de la superstition (chap. 6), ou sert aux intérêts privés les plus futiles (chap. 8 : l'Inquisiteur menace don Issachar d'un autodafé s'il continue à voir Cunégonde). À Paris, la corruption règne : le droit de ne pas aller en prison s'achète (chap. 22).

## LA COMÉDIE SOCIALE

Moins grave, mais tout aussi insupportable pour Voltaire, la comédie sociale que jouent les individus pris dans les fausses valeurs de l'argent et du pouvoir. L'auteur vise surtout dans *Candide*, outre les conséquences des inégalités sociales sur la morgue des nantis et des nobles vues plus haut, les illusions de l'amour et la prétention des prétendus intellectuels.

### Les illusions de l'amour

Présenté par Pangloss comme « le consolateur du genre humain, le conservateur de l'univers, l'âme de tous les êtres sensibles » (chap. 4), l'amour se réduit à un spectacle illusoire. La société et les individus utilisent ces belles apparences vantées par les romans d'amour à la mode pour masquer des intérêts sordides.

Candide est sincère, mais il s'apercevra, à la fin du conte, qu'il aimait dans Cunégonde sa beauté et sa jeunesse, et non sa personne. La vieille perd ses soupirants une fois disparus ses charmes de jolie femme et de princesse. Les regards et les gestes tendres de Paquette et du moine Giroflée (chap. 24) cachent une absence d'affection durable et solide. Paquette, devenue prostituée, doit « paraître de bonne humeur pour plaire à un moine », alors que la veille, elle a été volée et battue. La marquise feint d'aimer Candide alors qu'elle n'en veut qu'à son argent.

Les personnages masculins désirent seulement le corps des femmes et n'hésitent pas à les violer ou les prostituer. Pangloss, malgré ses discours enflammés, ne retient de son aventure avec Paquette que les moments de « paradis » connus « dans ses bras » et la maladie sexuelle qu'elle lui a donnée (chap. 4). Il n'a pas un mot sur l'affection qui aurait pu les lier. Cunégonde, elle, ne se donne à Candide que pour imiter les ébats sexuels d'un couple entrevu dans un buisson (chap. 1). Son amour se borne à une attirance sensuelle pour une « peau blanche et douce » (chap. 8) et à la vanité d'être entourée d'amants. Tromper Candide ne l'émeut guère.

## ▌Le faux prestige des intellectuels

Les philosophes, les universitaires, les « beaux esprits » et littérateurs, les médecins présents dans *Candide* jouissent d'un prestige sans relation avec leurs qualités réelles.

Le précepteur Pangloss est l'« oracle » du château bien qu'il ne débite que des sottises jargonnantes (chap. 1). Les universitaires de Coïmbre encouragent les pires superstitions, en préconisant un autodafé pour empêcher un tremblement de terre (chap. 6). Les académiciens bordelais posent des questions ineptes (pourquoi les moutons de l'Eldorado sont-ils rouges ?, chap. 22). Les intellectuels parisiens, pédants imbéciles ou écrivains ratés, gagnent « [leur] vie à dire du mal de toutes les pièces et de tous les livres », et les salons sont peuplés de savants ennuyeux, de médisants ou de joueurs de cartes peu courtois (chap. 22). L'empressement des médecins auprès de Candide n'aboutit qu'à rendre sa maladie « sérieuse » alors qu'elle n'était que « légère » (chap. 22). Le seul homme véritablement cultivé du conte, Pococuranté, est un oisif blasé, qui ne voit plus que les défauts des œuvres d'art au lieu d'en savourer les beautés (chap. 25).

Face à ces pantins, Voltaire oppose le vieux sage de l'Eldorado, le derviche et un bon vieillard de Turquie (chap. 18, 30), ainsi que Martin, qui se distinguent par leur modestie, leur bon sens et leur esprit critique.

Le conte mentionne trente-cinq fois des membres du clergé, et la plupart des chapitres critiquent le fanatisme : la satire religieuse est chère à l'auteur, qui voit dans l'utilisation de Dieu à des fins mauvaises l'une des principales causes du Mal. La leçon de tolérance reste très actuelle. La satire, dans *Candide*, n'épargne non plus aucun des piliers de l'organisation féodale ou monarchique. De nos jours, la société repose sur des principes différents. Mais les principaux maux dénoncés sont loin d'avoir disparu : inégalités extrêmes, guerres inutiles, dévoiements de la justice.

# 6 | Le jardin et la quête du bonheur

Symbole universel de la félicité, issu de la Genèse, le jardin est omniprésent dans *Candide*, conte philosophique sur la condition humaine et la recherche du bonheur. Les différents jardins qui ponctuent le voyage du héros sont autant de tentatives pour devenir heureux. Mais Voltaire refuse certaines de ces solutions, au profit du jardin final où se résume une sagesse lentement acquise.

## UN SYMBOLE UNIVERSEL

### Une métaphore du bonheur

Familier de l'Ancien Testament par son éducation catholique, bon connaisseur des civilisations orientales par curiosité intellectuelle, Voltaire sait le pouvoir évocateur du jardin. Dans la plupart des cultures, en effet, il symbolise le bonheur humain.

Juifs, musulmans et chrétiens partagent cette vision. Dans la Genèse, premier livre de la Bible, Dieu, après avoir créé l'univers et la terre, « planta un jardin en Éden, à l'orient, et il y plaça l'homme qu'il avait formé ». Il est également dit que « le Seigneur Dieu prit l'homme et l'établit dans le jardin d'Éden pour cultiver le sol ». La traduction latine de cette phrase figure au chapitre 30 de *Candide* : Pangloss rappelle que « quand l'homme fut mis dans le jardin d'Éden, il y fut mis *ut operaretur eum*, pour qu'il travaillât ».

Le paradis biblique fut souvent peint en littérature ou en art, avec une végétation luxuriante, qui nourrit les hommes sans effort. C'est de ce « jardin des délices » que Dieu chasse Adam et Ève après le premier péché. Dans le Coran, le Paradis offre des fontaines aromatisées de camphre ou de gingembre, des ruisseaux d'eau vive, de lait, de vin, de miel. Voltaire s'en souvient pour évoquer les fontaines de l'Eldorado (chap. 18) ou la félicité du vieux turc et de la métairie (oranges, citrons, pistaches, café... chap. 30).

En Extrême-Orient ou dans les civilisations précolombiennes, le verger est aussi un résumé du monde, une image de bonheur. Princes et pauvres en créent pour se procurer des agrumes, mais aussi du repos. Les Persans furent le peuple le plus sensible à ces charmes (voir les descriptions des contes des *Mille et Une Nuits*, dont Voltaire s'inspire). La Perse occupait en partie le territoire actuel de la Turquie, où se situe le jardin du chapitre 30 de *Candide*.

## ▌Le thème du jardin au xvIIIᵉ siècle

À cette richesse symbolique s'ajoutent, au xvIIIᵉ siècle, d'autres interprétations.

La campagne devient le domaine de la pureté morale, de la paix, d'une vie saine, en opposition avec les guerres, les turpitudes politiques et morales et la saleté citadine. On retrouve cette idée dans *Candide* : l'Eldorado, isolé du monde, a permis aux survivants incas de se protéger de la cruauté d'envahisseurs espagnols. Au chapitre 30, le bon vieillard, qui prend le frais à sa porte sous un berceau d'orangers, ne sait rien des luttes sanglantes pour le pouvoir qui se déroulent à Constantinople.

Sauvage et belle, la nature permet aussi une rencontre privilégiée avec le Créateur, par les sentiments mystiques qu'elle suscite. Jean-Jacques Rousseau, puis les romantiques développeront ce mythe.

Voltaire préfère les parcs créés par l'homme. Domestiqué, le bois devenu verger évoque la fécondité, un travail modéré mais productif, contraire au luxe artificiel et fragile des villes, où s'entassent miséreux et oisifs. Pour les physiocrates, économistes qui tentèrent alors de résoudre le problème de la pauvreté, la terre des agriculteurs est la seule vraie richesse, plus sûre que le commerce ou la spéculation financière. L'éloge du travail rural à la fin de *Candide* n'est pas étranger à cette conception.

Voltaire puise dans cette symbolique complexe mais forte pour transcrire ses idées sur le bonheur.

# LA SYMBOLIQUE DU JARDIN
# DANS LE CONTE

## L'omniprésence du thème

Le premier chapitre offre, près du château, « [un] petit bois qu'on appelait parc », où le héros vit un bonheur enfantin qu'il croit parfait. L'allusion à l'Éden est discrète, mais le parallélisme avec Adam devient clair lorsque Candide se retrouve « chassé du paradis terrestre » après avoir été surpris dans les bras d'une Ève moderne, Cunégonde. À la fin du conte vient un autre jardin lié au bonheur et, entre les deux, se succèdent la feuillée des jésuites au Paraguay (chap. 14), la prairie et le bois des Oreillons (chap. 16), l'Eldorado (chap. 17-18), le parc de Pococuranté (chap. 25), la petite métairie (chap. 29-30), le jardin du vieux Turc et celui de Candide (chap. 30). Si l'on y ajoute la plantation où travaille le nègre de Surinam (chap. 19), dix jardins ponctuent le texte, différents mais reliés les uns aux autres, car ils représentent chacun une façon de vivre et une forme d'organisation sociale.

## La quête du bonheur, de jardin en jardin

Au chapitre 1, le « paradis terrestre » est une société rurale fortement hiérarchisée : le baron règne sur un village de paysans, grâce à ses quartiers de noblesse et aux divers signes de sa puissance : le château, le « parc », les domestiques, la meute qui lui permet de chasser. Lorsque Candide, par inconscience, passera outre les lois qui régissent ce petit monde, en courtisant la fille du maître, il sera chassé sans retard. Le paradis se révèle illusoire.

D'autres « jardins » du conte évoquent des sociétés pareillement hiérarchisées, avec des variantes plus cruelles que le paternalisme bon enfant du Thunder-ten-tronckh. Ainsi le royaume des jésuites du Paraguay oppose les religieux, qui vivent dans le luxe, et les indigènes qui peinent sur la plantation. Deux phrases ironiques du chapitre 14 résument ce contraste révoltant : « Los Padres y ont tout, et les peuples rien ; c'est le chef-d'œuvre de la raison et de la justice. » Plus loin, le nègre de Surinam décrit les corvées et les punitions barbares des plantations coloniales, où l'homme est exploité par ses frères blancs (chap. 19). Le confort et les plaisirs des uns viennent du malheur des autres. Les jardins de Pococuranté, « bien entendus et ornés de belles statues de marbre », symbolisent la perfection artistique, méprisée par leur propriétaire blasé : « Je ne sais rien de si mauvais goût [...] : nous n'avons ici que des colifichets ; mais je vais dès demain en faire planter un d'un dessin plus noble » (chap. 25). Le vice dénoncé ici est l'ennui, qui rend les riches malheureux bien que toutes les conditions du bonheur soient réunies.

## L'Eldorado, paradis imaginaire

L'Eldorado, véritable paradis, offre la perfection que cherche Candide : « Le pays était cultivé pour le plaisir comme pour le besoin ; partout l'utile était agréable. » Certes, il existe un prince et en dessous de lui les marchands, les voituriers, les villageois et les officiers de la couronne. Mais tous ont une occupation saine qui les nourrit et l'accès au confort voire au luxe (les diamants qui jonchent le sol, les hôtels gratuits pour les voyageurs). L'opposition entre ville et campagne disparaît : la cité entière est un frais jardin, avec « les édifices publics élevés jusqu'aux nues, les marchés ornés de mille colonnes » comme les arbres d'une forêt ou d'un verger. S'y joignent « les fontaines d'eau pure, les fontaines d'eau rose, celles de liqueurs de canne de sucre, qui coulaient continuellement dans de grandes places pavées d'une espèce de pierreries qui répandaient une odeur semblable à celle du girofle et de la cannelle ».

L'Eldorado serait le véritable paradis terrestre s'il s'incarnait en une réalité. Mais il n'est qu'une utopie, et Candide poursuit son chemin dans l'espoir de trouver le bonheur dans la vraie vie.

## LA LEÇON FINALE

## Les trois derniers jardins

La métairie achetée par Candide (chap. 30) mêle des aspects négatifs des jardins précédents. La richesse fondée sur les cailloux de l'Eldorado s'y effrite au rythme des filouteries dont il est victime.

Le groupe survit du labeur d'un Cacambo exploité comme un esclave. Les autres s'ennuient dans l'oisiveté, leur caractère se dégrade : Cunégonde devient acariâtre.

Il manque à Candide la leçon ultime, qui viendra du travail et de l'égalité sociale. L'expérience du vieux Turc qui vend ses fruits au marché de Constantinople s'avère primordiale (chap. 30). Ses terres ne couvrent qu'une surface réduite (« vingt arpents »), mais il vit dans une honnête aisance, à l'abri des convoitises qui ruinent les ambitieux restés dans la capitale. Au confort champêtre (« un berceau d'orangers ») se joignent les délices de la gourmandise et de l'esthétique avec « du kaïmak piqué d'écorces de cédrat confit, des oranges, des citrons, des limons, des ananas, des pistaches, du café de Moka qui n'était point mêlé avec le mauvais café de Batavia et des îles ». Ce bien-être se vit en famille, dans une ambiance chaleureuse. L'oisiveté est bannie, et avec elle l'ennui, puisque le vieillard et ses filles produisent ce qu'ils consomment : « Le travail éloigne de nous trois grands maux : l'ennui, le vice et le besoin. »

L'homme est « né pour vivre dans les convulsions de l'inquiétude, ou dans la léthargie de l'ennui », dit Martin (chap. 30). L'exemple du vieux Turc permet d'échapper de trouver un bonheur moyen mais réalisable, dont le dernier jardin donne la recette.

## ▌Le paradis construit par Candide

Certains critiques jugèrent la fin du conte banale, indigne d'un philosophe. Ce bonheur médiocre, réduit à « cultiver notre jardin », a déçu de la part du brillant Voltaire. D'autres, comme Gustave Flaubert (lettre à Louise de Cormerin du 7 juin 1844), s'enthousiasment pour cette fin « bête comme la vie », où ils voient un humanisme novateur, qui accepte l'homme tel qu'il est, imparfait mais capable de créer du bonheur par son travail.

Cette seconde interprétation est sans doute celle de Voltaire. Sa correspondance contient des traces de sa conviction que le bonheur réside dans cet équilibre entre richesse et pauvreté, entre isolement et convivialité : « J'ai toujours regardé le travail comme la plus grande consolation pour les malheurs inséparables de la condition humaine » (lettre du 6 février 1754). « Travaillons sans raisonner, dit Martin au chapitre 30; c'est le seul moyen de rendre la vie supportable. » À la fin du conte, tous les personnages s'occupent : Cunégonde « devint une excellente pâtissière; Paquette broda; la vieille eut soin du linge », et Giroflée « fut un très bon menuisier ».

Ainsi chacun contribue par son labeur au bien-être commun, et la petite société ne connaît pas l'exploitation de l'homme par l'homme qui rendait exécrables d'autres jardins du conte. Les hiérarchies sociales ont disparu. Cette abolition transparaît dans l'expulsion du baron, qui troublerait la sage ordonnance du paradis. Abolis aussi les motifs de guerre et les querelles religieuses. Des catholiques, le musulman Giroflée, le « manichéen » Martin vivent en bonne harmonie (le manichéisme était une secte chrétienne, dont les croyances différaient de celles que prônait la papauté).

En faisant taire Pangloss, Candide échange sa quête illusoire de vérité contre l'apaisement intellectuel et la pacification des relations humaines. L'isolement de la métairie le met également à l'abri des conflits locaux, loin de Constantinople : le jardin est un lieu clos, protégé, comme l'Eldorado. Enfin, l'amour fou s'évanouit, mais une solide affection le remplace : le mariage de Candide et Cunégonde se fonde sur une fidélité dénuée d'illusions.


Le dernier jardin ressemble à un vrai paradis : aisance financière due au travail sur une terre féconde, tolérance religieuse, fraternité. Le plaisir de vivre est présent, grâce aux « gâteaux » de Cunégonde, aux « cédrats confits » et aux « pistaches ». Préfiguré par les autres jardins du conte, il en réunit les éléments positifs et réalisables. Cette sagesse modérée, issue d'un long cheminement du héros, a fait passer en proverbe l'expression : « cultiver son jardin ». Le bonheur proposé par Voltaire trouve un écho universel.

# 7 L'Eldorado

Les deux chapitres consacrés à l'Eldorado se rattachent à la tradition littéraire de l'Utopie, évocation d'un monde parfait, qui n'existe « nulle part » (sens du mot grec « utopie[1] »). Néanmoins, Candide (comme Voltaire) préférera vivre dans la réalité plutôt que dans le rêve. L'utopie n'est qu'une étape de son évolution.

## DU RÉALISME AU MERVEILLEUX

### Quelques éléments historiques et réalistes

L'Eldorado, terme datant de 1640, désigne une région fabuleuse d'Amérique où se seraient réfugiés des Incas après l'arrivée des conquistadors. Les explorateurs la cherchèrent en vain. Voltaire s'inspire de leurs récits, en particulier ceux de Garcilaso de La Vega ou la relation de Sir Raleigh. Mais pour lui, l'Eldorado est la patrie d'origine des Incas et non leur refuge : le paradis précède la colonisation, les Incas ont eu le tort d'en sortir. Il se situe quelque part au centre de l'Amazonie, entre le Tucuman des Oreillons (au nord du Paraguay) et la colonie hollandaise du Surinam. La faune et la flore sont typiques de la région : lamas (évoqués sous le nom de « moutons

---

**1.** Le mot utopie fut créé par Thomas More (1478-1535) pour désigner une île où il situe la république de ses rêves. Mais l'utopie apparaît déjà dans l'Antiquité (jardins d'Alkinoos dans l'*Odyssée*, île des bienheureux d'Hésiode, mythe de *La République* de Platon, puis durant le Moyen Âge, la Renaissance (*La Cité du soleil* de Campanella en 1623, l'abbaye de Thélème de Rabelais dans *Gargantua* en 1534, etc.), le XVIIe et le XVIIIe siècle (*Histoires comique des États et Empires de la Lune* de Cyrano de Bergerac, *Télémaque* de Fénelon, les bons troglodytes des *Lettres persanes* de Montesquieu en 1721), puis au XIXe siècle (ouvrages de Saint-Simon, de Charles Fourier). Au XXe siècle, *Le Meilleur des mondes* d'Aldous Huxley (1932), *1984* de George Orwell reprennent cette veine littéraire à travers le nouveau genre de la science-fiction, mais pour en montrer les limites.

rouges » en raison de leur couleur), perroquets, singes, colibris, canne à sucre, girofle, cannelle, etc. L'or, l'argent, les pierres précieuses qui firent la renommée du Pérou y abondent. Les dimensions imposantes de la capitale rappellent les descriptions historiques de Cuzco ou de Mexico.

## Un monde imaginaire et composite

À partir de ces éléments réels, l'auteur laisse dériver son imagination vers le merveilleux.

Les pierreries jonchent le sol, mais on ne trouve nulle trace des mines où les hommes doivent en réalité peiner pour puiser l'or et l'argent. En Eldorado, les richesses semblent offertes par la nature, sans effort ni souffrance.

La dimension et le luxe de la capitale sont exagérés. Chaque maison semble un palais d'Europe, la moindre chaumière a une porte d'argent. Le portail du palais du roi, d'une matière inconnue mais plus précieuse que l'or, a 66 mètres de haut sur 30 de large. L'abondance des fontaines, des carrosses, les pavés odorants, la prodigieuse galerie des sciences complètent ce tableau idyllique. Le champ lexical est celui de la grandeur et de l'exception : « un horizon immense », « surpassaient en vitesse », « beauté singulière », « éclat singulier » (chap. 17) ; « supériorité prodigieuse » (chap. 18). Voltaire emprunte certains détails aux récits de voyages imaginaires. L'arrivée des deux héros par une rivière qui s'enfonce sous la voûte d'une grotte reprend un passage du sixième voyage de Sindbad dans *Les Mille et Une Nuits*. La rencontre d'un vieux sage initiant les étrangers figure dans la plupart des œuvres du genre. La minutie des descriptions, souvent chiffrées, relève du genre utopique. Un dernier trait caractéristique est l'inversion du monde connu : les soldats sont des femmes, les rues sentent bon (allusion aux puanteurs des caniveaux parisiens), le roi se montre plus affectueux que le dernier de ses sujets, etc.

Cette inversion prend toute sa signification si l'on considère les déclarations de Candide au chapitre 17 : « Quel est donc ce pays [...] d'une espèce si différente de la nôtre ? C'est probablement le pays où tout va bien ; car il faut absolument qu'il y en ait de cette espèce. » Ailleurs, l'Eldorado est qualifié de « paradis » (chap. 24).

## Le règne des vraies valeurs

L'Eldorado prend le contre-pied de tout ce que le héros a vu dans le monde. Ici, pas de maux physiques ou moraux. Pas de guerre, pas d'armée, sinon un bataillon de gracieuses jeunes filles, pas de clergé, pas de tribunaux, sans doute pas de police. La richesse abonde trop pour susciter des convoitises. La maladie et la vieillesse ne sévissent pas : le sage de cent soixante-douze ans est encore gaillard.

Ici règnent les vraies valeurs : politesse, générosité, amour de l'art et de la science. Alors qu'ailleurs l'on se dispute à propos de religion ou de métaphysique, en Eldorado, dit le vieillard, « nous sommes tous du même avis ». Enfin, bien qu'il existe un roi, une cour, des classes sociales (le portail du palais est d'une matière plus précieuse que celle des maisons), l'harmonie règne entre les différents groupes, sans doute parce que chacun vit dans l'aisance.

## Quelques idées chères à Voltaire

D'abord, cette religion sans prêtres ressemble à celle des Quakers, dont les *Lettres philosophiques*[1] de Voltaire ont exposé les qualités. Cette secte chrétienne, installée en Angleterre mais surtout en Pennsylvanie, région de l'Est des États-Unis, prônait un déisme sans cérémonies. En donnant à l'Eldorado quelques traits rappelant les Quakers (absence de prêtres, fraternité entre les individus, qui s'appellent entre eux « ami », choix de la livre sterling comme monnaie du pays), Voltaire manifeste sa sympathie, voire sa préférence,

---

1. Œuvre de Voltaire, parue en 1734. L'auteur y raconte son séjour en Angleterre, où il rencontrera des Quakers.

pour des groupes religieux qui passaient pour hérétiques aux yeux de ses ennemis, le clergé ou les jésuites.

Une autre caractéristique propre à l'idéal voltairien est le luxe, qu'il célébra notamment dans son poème *Le Mondain*. Voltaire se démarque des utopies qui proposaient un idéal d'égalitarisme dans la pauvreté. Bien au contraire, l'Eldorado se distingue par l'opulence et le raffinement des repas, la beauté architecturale, l'attention portée aux arts : « Le pays était cultivé pour le plaisir comme pour le besoin ; partout l'utile était agréable » (chap. 17).

Voltaire fut un philosophe épris des Lumières du XVIII<sup>e</sup> siècle. Il collabora aux travaux de vulgarisation de l'*Encyclopédie*, s'intéressa aux progrès scientifiques. On retrouve ces préoccupations dans la galerie pleine d'instruments de mathématiques et de physique, dans l'instruction à l'école, dans l'invention ingénieuse qui permet de franchir les montagnes.

L'Eldorado semble donc représenter l'idéal de l'auteur. Au chapitre 20, Martin dit : « En jetant ma vue sur ce globe, ou plutôt sur ce globule, je pense que Dieu l'a abandonné à quelque être malfaisant ; j'en excepte toujours Eldorado. » Plus loin, désespéré à la pensée que Cunégonde ait pu mourir, Candide s'exclame : « Ah ! il valait mieux rester dans le paradis du Dorado que de revenir dans cette maudite Europe » (chap. 24).

## SENS ET PLACE DE L'ELDORADO
## DANS *CANDIDE*

Cette histoire fabuleuse et idéale, qui a fait parler du « mythe de l'Eldorado », n'est pas le dernier mot de Voltaire sur l'évolution de Candide. Comment expliquer autrement que le jeune héros veuille quitter ce monde idéal, et, surtout, qu'il ne cherche pas à y revenir une fois retrouvée sa bien-aimée ? Certains critiques ont vu dans ces deux chapitres une satire de l'utopie. Il est possible que ce soit le cas. Mais la véritable leçon de Voltaire va plus loin, comme le montre l'évolution ultérieure du héros.

# Les limites de l'utopie

Les utopies sont souvent dénigrées parce qu'elles offrent un bonheur trop organisé, presque totalitaire. L'Eldorado ne présente pas ce travers. L'auteur est moins systématique que ses prédécesseurs ou, surtout, que ses successeurs : contrairement à ceux qui proposent une recette de bonheur collectif très détaillée, Voltaire ne dit pas grand-chose sur le système politique et social de son paradis. Il semble s'agir d'une monarchie dont le roi est bon et intelligent ; tous les problèmes sociaux sont supprimés par la richesse incroyable que procure la nature généreuse du pays. Les Eldoradiens ont d'ailleurs un sens critique (« je vous avoue que les gens de votre monde font des question bien singulières », chap. 18) ; ils savent rire (fin du chapitre 17) ou reconnaître qu'ils sont ignorants (début du chapitre 18). Enfin, ils ne cherchent pas à retenir les voyageurs, à les rendre heureux malgré eux.

Voltaire ne cède pas à la facilité de terminer son livre sur un idéal inaccessible, et peut-être dangereux. Il réserve d'autres épreuves à son héros afin qu'il réalise un paradis réel.

Candide reproche deux choses à ce rêve amazonien : l'absence de Cunégonde et l'impossibilité d'y être vraiment riche et puissant. « Si nous restons ici, dit-il à Cacambo, nous n'y serons que comme les autres ; au lieu que si nous retournons dans notre monde seulement avec douze moutons chargés de cailloux d'Eldorado, nous serons plus riches que tous les rois ensemble, nous n'aurons plus d'inquisiteurs à craindre, et nous pourrons aisément reprendre Mlle Cunégonde. » Candide est trop immature pour discerner le vrai bonheur. Son départ de l'Eldorado est une erreur. Il découvrira plus tard que les diamants de l'Eldorado et l'amour ne sauraient procurer la félicité, car ils sont fragiles. Tout indique que Voltaire, lui aussi, ne se satisferait pas de ce bonheur, car l'Eldorado n'existe pas. Notre auteur veut, comme le fera son personnage une fois plus expérimenté, trouver le bonheur dans la réalité. Il sait que les guerres, l'intolérance ou les préjugés nobiliaires ne peuvent disparaître. L'Eldorado reste un rêve inaccessible, car il repose à la fois sur la richesse naturelle du pays et la sagesse de son chef. Retombé dans la réalité, Candide ne retrouvera jamais ces conditions idéales, mais tentera d'instaurer dans sa métairie une sagesse pratique. C'est pourquoi l'évocation de cette utopie se situe au centre du livre, et non à sa fin, qui proposera un bonheur plus modeste, mais ancré dans le réel.

## La place de l'Eldorado dans le conte

La visite en Eldorado constitue donc une simple étape, même si sa place est privilégiée. Le héros ne sera plus le même ensuite. Ce repos dans un havre de paix met fin à sa fuite et à sa passivité. Candide, pour la première fois, donne un but à son existence : retrouver Cunégonde, agir sur les autres grâce à sa richesse (→ PROBLÉMATIQUE 8, p. 71). Ces deux objectifs sont des illusions pour Voltaire, il reste bien des choses à découvrir avant de choisir un style de vie qui s'inspirera autant de l'exemple du bon vieillard turc que de l'Eldorado.

Le plus grand mérite de l'épisode central réside dans quelques vérités qu'il restera à vérifier par l'expérience et à mettre en pratique dans le monde tel qu'il est. Ainsi l'Eldorado préfigure-t-il certains aspects du jardin final. En Propontide, l'isolement permettra de moins souffrir de l'omniprésence du Mal. Les disputes religieuses sont oubliées et les personnages s'unissent autour de valeurs communes comme l'entraide et l'amitié. Le travail de la terre rappelle, en plus modeste, les champs de l'Eldorado « cultivés pour le plaisir comme pour le besoin » (chap. 17). En Turquie, « la petite terre rapporta beaucoup », y compris les cédrats, citrons, pistaches qui joignent le bonheur visuel et gustatif à la satisfaction de manger à sa faim. En outre, les pâtisseries de Cunégonde, les broderies de la vieille donnent à la vie champêtre un confort cher à Voltaire, qui n'a rien à voir avec le luxe de l'Eldorado, où les portes des chaumières sont en argent, mais il est bien agréable et suffit au bonheur.

L'Eldorado reste l'un des épisodes célèbres de *Candide*, grâce à l'idéal qu'il laisse entrevoir, mais aussi à la vivacité du récit. Il est l'un des plus importants pour l'évolution du héros et la leçon finale.

# 8 | *Candide,* roman d'apprentissage

Le roman d'apprentissage retrace, à travers des aventures initiatrices, la formation intellectuelle, sentimentale et sociale d'un héros. Malgré sa brièveté, et l'importance du merveilleux, qui le rattachent davantage au genre du conte que *L'Ingénu*, *Candide* relève aussi de ce genre littéraire : toutes les conditions sont réunies pour transformer le jeune garçon en un homme mûr et sage. Voltaire donne ainsi une leçon valable pour tous.

## LES CONDITIONS DE LA FORMATION

### ▌Candide : un être malléable

Au début du conte, Candide présente quelques traits permettant son évolution ultérieure. Sa jeunesse le rend ignorant et plein d'illusions. Certes l'enseignement imbécile de Pangloss marque son âme, par ailleurs un peu « simple ». Mais sa sensibilité et son « jugement assez droit », contrairement à son maître, le feront réagir aux événements. Son nom reflète ces dispositions : on y trouve la naïveté, mais aussi l'honnêteté de la candeur. Dans le chapitre 1, son expérience se réduit à ce qu'il observe dans le château et aux leçons du précepteur. Il n'a pas encore souffert des clivages sociaux qui structurent cette petite société et il ne connaît rien des maux qui assaillent les hommes. C'est donc en toute innocence qu'il singe Pangloss.

Candide serait resté dans cet état si la réalité, dès la fin du chapitre 1, ne s'était chargée de le précipiter hors de cet univers médiocre, mais jusque-là protégé.

### ▌Épreuves et rencontres

Une longue série d'expériences, vécues directement ou par les récits d'autrui (Cunégonde, la vieille, Pangloss, le baron, Paquette et

Giroflée), assure la formation du héros. Il est initié aux maux naturels (maladie, mort, tremblement de terre, orage) ou humains (guerre, esclavage, préjugés nobiliaires, pouvoir de l'argent).

La première partie du conte met en valeur les maux physiques ou sociaux ; la seconde insiste davantage sur les maux de l'âme et les faiblesses morales (fourberie et rapacité à Surinam, luxure, hypocrisie et passion du jeu à Paris, ennui à Venise ou dans la métairie). Les références historiques (désastre de Lisbonne, guerre de Sept Ans, Inquisition, etc.) revêtent ces drames d'une douloureuse vraisemblance. L'amour n'en est pas absent : séparations, trahisons, infidélités, disparition du désir se succèdent. Parallèlement apparaissent toutes sortes de relations sensuelles (hétérosexualité, homosexualité, zoophilie) et parfois leurs tristes conséquences : le viol, les maladies sexuellement transmissibles comme la vérole.

Le héros côtoie toutes les couches sociales : esclaves, princes, religieux (un frère théatin, les jésuites, un anabaptiste, un juif, des musulmans), marchands, banquiers (Issachar), soldats, sénateur (Pococuranté), le gouverneur de Buenos Aires, des bourgeois, des valets comme Cacambo. Candide raisonne avec de nombreux philosophes : Pangloss, Martin, le vieillard de l'Eldorado, le savant parisien, le sage turc, le vieux musulman du chapitre 30.

L'apprentissage vécu par d'autres personnages reflète l'expérience de Candide tout en y contribuant. La vieille et Cunégonde perdent toute illusion sur leur position sociale ou sur l'amour ; les vies de Cacambo, de Martin et des malheureux évoqués au chapitre 19 complètent l'éducation du jeune garçon.

## Le voyage

Thème traditionnel du conte mais aussi du roman d'apprentissage (*Les Aventures de Télémaque* de Fénelon, *Histoire de Gil Blas de Santillane* de Lesage, etc.), il mène Candide en Europe (Allemagne, France, Angleterre, Portugal, Espagne, Italie), en Amérique et en Turquie. Les périples de la vieille confirment que tout va également mal au sud de la Méditerranée (Maroc, Algérie, Tunisie, Syrie) et au nord du vieux continent (Russie, pays Baltes, etc.). L'accumulation des expériences est permise à la fois par l'écoulement du temps et la mobilité géographique.

# UNE ÉVOLUTION PSYCHOLOGIQUE ET INTELLECTUELLE

## De la passivité à l'action

Au départ, Candide, incapable d'une pensée ou d'une action personnelle, se laisse malmener par les événements, ou s'en remet à la vieille et à Cacambo. Ses seules initiatives relèvent de l'instinct de conservation : il se cache lors de la bataille du chapitre 3, puis il fuit constamment. Lorsqu'il commet un acte violent en tuant Issachar, l'Inquisiteur ou le baron, c'est sous l'empire de la nécessité, de la colère et de l'amour.

Cependant, il acquiert peu à peu la capacité d'agir par lui-même. Le tournant de cette évolution se situe en Eldorado. Pour la première fois, il décide de quitter un lieu pourtant agréable, et donne un but à sa vie : revoir sa bien-aimée. Il s'affirme ensuite en choisissant méthodiquement un compagnon (chap. 19), puis les étapes de son voyage (chap. 21). Au chapitre 24, c'est lui qui manifeste le désir de rencontrer Pococuranté.

En outre, Candide influence la vie d'autrui grâce à l'argent ramené d'Eldorado : il entretient Martin (chap. 19), rachète Pangloss et le baron (chap. 27), Cunégonde et la vieille (chap. 29). Enfin, il se sépare du baron, épouse sa sœur, indique à ses amis le vrai bonheur (chap. 30). Le fait qu'il chasse le baron au lieu de le tuer montre qu'il domine maintenant ses passions.

## De la folie à la raison

Ces changements s'accompagnent d'une évolution intellectuelle : le héros conquiert une pensée autonome.

Au château, il « écoutait attentivement et croyait innocemment », et répétait les discours de Pangloss comme un perroquet. Au contact des dures réalités, il se pose ensuite quelques questions, mais continue d'expliquer les événements par la logique optimiste.

Le tremblement de terre et l'Inquisition ébranlent pour la première fois sa confiance : « Si c'est ici le meilleur des mondes possibles, que sont donc les autres ? » (chap. 6). En Eldorado, il s'ouvre à l'esprit critique : « Quoi qu'en dît maître Pangloss, je me suis souvent aperçu que tout allait mal en Westphalie » (chap. 17). La rencontre avec le nègre de Surinam constitue le second choc : « C'en est fait, il faudra qu'à la fin je renonce à ton optimisme » ; « Ce Pangloss, disait-il, serait bien embarrassé à démontrer son système » (chap. 19).

Par la suite, Candide oscille entre optimisme et pessimisme, mais résiste à la tentation d'adopter les vues trop sombres de Martin. La voie qu'il choisira finalement, après une ultime désillusion sur l'amour, qui jusqu'ici le conservait en vie et guidait sa quête, lui est personnelle. Il s'affirme contre toute métaphysique, et son apprentissage s'achève par la célébration active de la seule valeur vraiment sûre, le travail au « jardin ». Il coupe désormais la parole à son ancien précepteur.

## LE SENS DE CET APPRENTISSAGE

### Une leçon de vie

Au-delà du débat philosophique, auquel on le réduit bien souvent, au-delà du voyage plein de péripéties fantaisistes qui lui sert de cadre, *Candide* donne également une leçon de vie : peu à peu le héros y affirme sa personnalité. Candide reçoit en effet une éducation très complète. Il traverse l'Histoire et le globe, côtoie tous les milieux sociaux. Il réfléchit sur les systèmes intellectuels permettant d'analyser le monde. Mais il éprouve également toutes sortes d'émotions : la perte des êtres chers, la joie des retrouvailles, les plaisirs et les peines de l'amour ou de l'amitié. Il connaît tour à tour la pauvreté et la richesse, qui modifient ses rapports avec autrui. Tous ces thèmes font partie des romans d'éducation du XVIIIe et du XIXe siècle, où l'on trouve par exemple, de façon quasi systématique, la séduction d'un jeune homme par une ou des Parisiennes (*Julie ou la Nouvelle Héloïse* de Jean-Jacques Rousseau, *Le Rouge et le Noir* de Stendhal...).

L'apprentissage de Candide se traduit par la perte progressive de toutes ses illusions d'enfant. Il découvre, à travers le souper des princes ou la rencontre de Pococuranté, que la noblesse ou la richesse ne font pas le bonheur. De l'amour, idéalisé comme « le consolateur du genre humain », il n'a reçu « qu'un baiser et vingt coups de pied au cul » (chap. 4). Il a vu les effets de la vérole sur Pangloss, ceux de la prostitution sur Paquette. L'omniprésence du Mal (guerres, intolérance religieuse, maladie) pourrait le mener au suicide. Parfois il pleure, ou s'enfonce dans une « noire mélancolie » (chap. 19, 24). Mais, et c'est le propre de tout apprentissage, Candide surmonte ces épreuves et se métamorphose.

« Jeune métaphysicien fort ignorant des choses de ce monde » (chap. 2), il devient un homme expérimenté. Son parcours comprend trois étapes. Il cherche d'abord le meilleur des mondes, le monde idéal. Après l'avoir trouvé, dans l'Eldorado, pays d'un bonheur parfait mais imaginaire, il oriente sa quête vers un bonheur plus humain, caractérisé par la richesse et l'amour. Mais il déchante bientôt, en perdant ses moutons chargés de diamants et en sombrant dans l'ennui de l'oisiveté. Il retrouve une Cunégonde acariâtre et fanée. Son troisième objectif, « cultiver [son] jardin », travailler au sein d'une petite société d'amis choisis, sera le bon. Il réussit même à fonder avec Cunégonde un couple durable, construit sur la bonne volonté réciproque et la fidélité.

## Les aspects autobiographiques

Cette leçon de vie puise dans l'expérience personnelle de l'auteur, discrètement omniprésente. Le débat philosophique correspond au parcours de Voltaire, optimiste repenti, entouré d'optimistes incorrigibles comme son amie la duchesse de Saxe-Gotha, émule de Pangloss, qui se dit heureuse au beau milieu de la guerre de Sept Ans.

Les principaux événements historiques mentionnés sont ceux qui passionnent Voltaire lorsqu'il se penche sur le passé, ou lorsqu'il subit le choc du séisme de Lisbonne. L'Inquisition le révolte, la morgue nobiliaire fait souffrir ce bourgeois. Le désenchantement amoureux de son héros vient d'une prise de conscience des limites de l'amour chez un auteur trompé par sa maîtresse Mme du Châtelet. Mille allusions parsèment ainsi le conte. Les atermoiements de Candide entre optimisme et pessimisme, ses crises de mélancolie ou ses joies transposent des mouvements de balancier psychologique propres à son créateur. La fin du conte correspond au choix fait par un Voltaire sexagénaire, fatigué des plaisirs et des souffrances d'une vie aventureuse : il tente, dans sa propriété campagnarde (« Les Délices »), d'organiser une petite société laborieuse et protégée des tourments de l'actualité.

La plupart des contes de Voltaire (*Micromégas*, *Zadig*, *la Princesse de Babylone*, *L'Ingénu*) évoquent l'éducation de jeunes héros. De tous, ce sont *Candide* et surtout *L'Ingénu* qui se rapprochent le plus d'un roman, par leur ancrage dans l'histoire et l'actualité, par leur longueur aussi. À la fois conte et roman, *Candide* s'apparente, par son mélange d'aventures et de réflexion sur la vie, aux meilleurs romans d'apprentissage du XVIIIe siècle : le *Télémaque* de Fénelon, l'*Histoire de Gil Blas de Santillane* de Lesage, *La Vie de Marianne* de Marivaux, en attendant les grands romans du XIXe siècle, où s'affinera la psychologie des personnages.

# 9 | Personnages ou marionnettes ?

« Les personnages de Voltaire, écrivit Stendhal en marge de son exemplaire de *Candide* en 1840, manquent de vérité, de naturel, le pamphlet se voit au travers. » Ce reproche a souvent été fait au conteur : ses créatures ne seraient que des marionnettes. Les héros sont stylisés, c'est-à-dire réduits à quelques traits physiques ou psychologiques. En outre, Voltaire les utilise au service de sa démonstration. Pourtant la sensibilité et l'expérience personnelle de l'auteur donnent à certains d'entre eux davantage d'épaisseur.

## DES PERSONNAGES STYLISÉS

### Des silhouettes et une psychologie succincte

La description physique reste inexistante (le baron, son fils, Pangloss, Martin, Pococuranté, etc.) ou se réduit à quelques traits (le poids de la baronne, la beauté sensuelle de Cunégonde, « fraîche, grasse, appétissante », la jolie peau de Candide). L'évocation par la vieille des charmes de sa jeunesse (chap. 11) se limite à des exclamations convenues sur la perfection de sa gorge ou de ses yeux. Voltaire, en revanche, s'attarde sur les ravages des ans ou de la maladie : les « yeux éraillés et bordés d'écarlate » (chap. 11) ; sur les effets de la vérole sur Pangloss (fin du chap. 3).

La psychologie est à peine plus développée. Le chapitre 1, qui présente les principaux personnages, se révèle significatif à cet égard (➜ LECTURE 1, p. 108). Ailleurs, les caractères sont simplement esquissés, limités à une qualité ou un défaut, et liés à une position

sociale, religieuse ou professionnelle. Jacques est un « bon anabaptiste », Pococuranté un riche sénateur qui s'ennuie, Martin un manichéen malheureux, Cacambo un valet débrouillard.

À la limite, le nom des personnages suffit à les définir. C'est évi-
dent pour Pangloss (« tout parole » en grec), Vanderdendur (qui a la
« dent dure »), Pococuranté (« qui se soucie de peu de chose » ou
« peu soucieux » en italien), le gouverneur don Fernando d'Ibaraa, y
Figueora, y Mascarenes, y Lampourdos, y Souza (la longueur et l'enflure indiquent le noble imbu de lui-même).

## Des types littéraires ou sociaux

Le nom parfois n'est même pas donné, et le personnage se limite
à une référence littéraire ou sociale. La vieille n'a ni prénom ni patro-
nyme. Elle a une origine (fille d'un pape), mais surtout elle ressemble
à un type théâtral et romanesque qui date de l'Antiquité : l'entremetteuse, femme laide mais habile pour réunir ou unir les couples. De
même, Cacambo ressemble aux centaines de valets malins et fidèles
à leur maître, que l'on trouve dans les comédies grecques et romaines
de Ménandre ou de Plaute, chez Molière, et, plus tard, dans le *Figaro*
de Beaumarchais. Pangloss fait penser aux ridicules docteurs amoureux de la comédie italienne, ou bien aux pédants de Molière
(Trissotin, Vadius). Les sages vieillards, si nombreux dans *Candide*
(celui de l'Eldorado, le savant parisien, le derviche, le Turc), viennent
des contes orientaux. Les religieux obsédés sexuels, dont Voltaire se
moque à plusieurs reprises, datent des fabliaux du Moyen Âge.

Il faut observer d'ailleurs que les descriptions physiques ou psychologiques précises sont peu courantes dans le roman avant Jean-
Jacques Rousseau, qui approfondira, dans *Julie ou La Nouvelle
Héloïse* (1761), le caractère de ses créatures. Ce roman aura une
grande influence sur la littérature, et même sur Voltaire. Candide et
sa bien-aimée, par exemple, sont moins consistants que d'autres
héros de contes voltairiens ultérieurs, comme *L'Ingénu* (lequel,
d'ailleurs, parodie ce roman épistolaire de Rousseau).

# DES PERSONNAGES
## AU SERVICE D'UNE CAUSE

## ▌Une démonstration polémique

*Candide*, au-delà du conte traditionnel, se veut une démonstration rigoureuse contre l'optimisme (sur cette notion, voir p. 44), mais aussi contre la guerre, l'intolérance religieuse, l'esprit de caste, les vices humains. C'est pourquoi les personnages négatifs se réduisent au défaut qui les condamne, et adoptent un comportement sans nuance. Ainsi Pangloss, qui symbolise l'optimisme honni par l'auteur, voit la réalité contredire sans cesse ses discours. Dans ses écrits historiques, moins polémiques, Voltaire reconnaît que les jésuites du Paraguay ont protégé les Indiens contre les exactions des colons espagnols. Dans *Candide*, il ne retient sur eux que l'exploitation des pauvres, le goût de la guerre et du pouvoir. De façon générale, tous les membres du clergé ou les soutiens du catholicisme ou du protestantisme bornés sont présentés comme imbéciles (l'Université de Coïmbre, dirigée par des religieux, au chapitre 6; le prédicant hollandais du chapitre 3; les nombreux prêtres ou abbés licencieux qui parsèment le conte).

Mais l'auteur veut aussi lancer un message d'espoir. Face aux méchants, il dresse quelques héros positifs, dont le nom en général plus simple (Candide, Cacambo, Jacques, Martin) annonce une nature moins tortueuse. Cependant la stylisation les touche également, car ils participent à la démonstration. Voltaire oppose Pangloss et Martin, qui représentent l'un l'optimisme, l'autre le pessimisme. De même, Pococuranté, riche et plongé dans l'ennui, contraste avec le vieux Turc, plus pauvre mais plus heureux.

## ▌La théâtralisation

La volonté de vulgarisation chez Voltaire aboutit à théâtraliser le conte, c'est-à-dire à simplifier l'action et les caractères pour les rendre plus vivants et accessibles au grand public. On retrouve ici sa volonté de « faire court et salé », comme il l'annonçait dans une lettre à Moultou en 1743. Mais il ne faut pas oublier non plus que les contes, à l'époque, sont souvent lus en public, et donc se rapprochent de la scène.

En outre, Voltaire ne se contente pas de réjouir son lecteur en jouant habilement de tous les lieux communs efficaces d'une littérature de distraction. Il poursuit, comme on l'a vu, un but de dénigrement systématique, en dénonçant par le ridicule tous les abus de son époque, ce qui l'amène à grossir les traits jusqu'à la caricature.

C'est pourquoi ses personnages, comme des marionnettes, qu'ils apparaissent pour un petit tour ou qu'ils occupent une plus grande place, conservent le même caractère. L'exemple le plus abouti est l'optimiste Pangloss, pour lequel Voltaire utilise le procédé comique bien connu de la répétition : le précepteur persiste dans son optimisme et ses faux raisonnements jusque dans les situations les plus dramatiques. Son inadaptation à la réalité en fait un pantin, et sa dureté pour autrui, son insensibilité le rendent antipathique. Même effet pour le jeune baron prétentieux, qui dresse son épée avec la précision d'un ressort à chaque mention d'un éventuel mariage du bâtard roturier avec sa sœur. Le doux Candide lui-même n'échappe pas à la règle : ballotté de pays en pays, d'aventures en mésaventures durant la plus grande partie du conte, il est animé d'idées fixes (trouver l'explication du monde ou le bonheur), et toujours mené par la pulsion sensuelle qui le pousse vers Cunégonde.

## ÊTRES DE CHAIR OU MARIONNETTES ?

### Le théâtre de la vie

Il est indéniable que Voltaire ressemble à un montreur de marionnettes qui en tire les fils, pour persuader la raison et le cœur de ses auditeurs ou de ses lecteurs. Mais cette théâtralisation correspond également à sa conception de l'existence. Sa réflexion sur l'être humain l'a conduit, à l'époque de la rédaction du conte, à penser que l'on ne peut ni connaître la volonté divine, ni expliquer le monde. Celui-ci reste une énigme, dans laquelle les hommes se meuvent sans raison apparente, ni déterminisme, ni libre arbitre (→ PROBLÉMATIQUE 2, p. 32). « Nous sommes dans cette vie des marionnettes que

Brioché[1] mène et conduit sans qu'elles s'en doutent », observe-t-il le 2 janvier 1748 dans une lettre à son ami Cideville (Brioché était au XVIIᵉ siècle un célèbre marionnettiste). Candide retranscrit ce sentiment, désenchanté mais lucide.

## ▌Des moments d'émotion

Cette vision n'exclut pas les élans de vie, car l'auteur reste un homme passionné, prompt à vibrer aux injustices. Sa démonstration, sa virtuosité littéraire ne seraient pas complètement efficaces sans un appel à l'émotion, né d'une expérience individuelle et incarnée.

Il arrive donc que ses marionnettes deviennent vivantes et émouvantes. Candide surtout évolue, et devient attachant par ses larmes devant les souffrances (celle du nègre de Surinam, par exemple). Comme la vieille, il est tenté par le suicide, auquel semble le conduire son destin de victime, mais il y résiste par son amour de la vie et sa volonté de construire un bonheur durable. Il subit passivement la violence, mais peut aussi devenir violent au point de tuer : sa psychologie se révèle plus complexe qu'on ne le croirait. Martin est à la fois un philosophe pessimiste, pendant exact de Pangloss, et un homme qui a beaucoup vécu, rempli de sang-froid dans les situations délicates, un ami fidèle, qui trouvera avant Candide le mot de la fin : « Travaillons sans raisonner [...], c'est le seul moyen de rendre la vie supportable » (chap. 30). L'anabaptiste Jacques est à la fois un commerçant avisé, un ami généreux, un sage qui a médité sur la vie (chap. 4). La vieille émeut par ses malheurs, qu'elle compense par sa dignité, son pragmatisme et son activité. Le nègre de Surinam frappe par son bon sens et son absence de haine malgré les traitements subis.

Indéniablement, les héros de *Candide* ressemblent davantage à des marionnettes qu'à des êtres de chair. Cela tient surtout aux objectifs polémiques, ou à la conception du monde chez Voltaire au moment de la rédaction du conte. Mais celui-ci atteint aussi son but par la profondeur à laquelle parviennent parfois les personnages.

# 10 | Les procédés de la satire

Pour dénoncer les injustices ou les vices, on peut soit provoquer directement l'horreur et l'indignation par l'énoncé des faits, soit utiliser la satire, qui suscite le rire pour que le lecteur condamne les faits. *Candide* privilégie la seconde solution. L'humour, l'ironie, le comique constituent ses principaux moyens.

## L'HUMOUR

### La distanciation par rapport au réel

L'humour crée un décalage entre la gravité ou l'absurdité des faits réels et le détachement avec lequel l'auteur les décrit. Pour être efficace, il suppose que le lecteur partage l'opinion cachée de l'auteur. Sans cette complicité, il risque d'y avoir un malentendu, et l'humour ne sera pas perceptible. Par exemple, au chapitre 1, Candide juge Pangloss « le plus grand philosophe de la province, et par conséquent de toute la terre ». Voltaire rapporte cette opinion sans la commenter, mais le lecteur sourit de la naïveté du héros, dont l'admiration exagérée vient de l'ignorance du monde.

Au Paraguay, Candide cherche le chef des jésuites. Un sergent lui dit : « Il est à la parade après avoir dit sa messe, [...] ; et vous ne pourrez baiser ses éperons que dans trois heures » (chap. 14). Ces informations reposent sur des faits exacts, mais dénoncent les travers des religieux, qui se transforment en soldats quelques minutes après une cérémonie où ils sont censés prêcher l'amour du prochain. Ils se conduisent en outre comme des seigneurs hautains, alors que le Christ prônait la modestie et la pauvreté.

## L'humour noir

Cette forme d'humour intervient lorsque l'on décrit des atrocités comme si elles étaient tout à fait banales. Le sentiment d'horreur devient plus fort que si l'auteur s'indignait : l'émotion naît directement, elle n'est pas guidée.

Au chapitre 9, voici un sec énoncé sur les deux amants de Cunégonde tués par Candide : « On enterre monseigneur dans une belle église, et on jette Issachar à la voirie. » Le lecteur est frappé par la différence entre le sort des deux hommes : l'un reçoit une sépulture splendide, l'autre en est privé. C'est que l'un est chrétien, l'autre juif : l'intolérance religieuse des jésuites va jusqu'à maltraiter, morts, les gens qui ne partagent pas leur croyance.

Voltaire accentue souvent ce procédé en accumulant avec une indifférence apparente les détails réalistes les plus crus, comme dans le récit du naufrage et du séisme (chap. 5). À la pitié, née de ce drame, s'ajoute l'indignation devant les sorts contrastés du bon anabaptiste, qui meurt, et du cruel matelot, qui survit.

L'histoire de la vieille (chap. 11-12) n'est qu'une longue série de malheurs qui culminent avec une vision presque risible tant elle semble absurde : « Un Maure saisit ma mère par le bras droit, le lieutenant de mon capitaine la retint par le bras gauche ; un soldat maure la prit par une jambe, un de nos pirates la tenait par l'autre. » La femme sera déchirée, massacrée : beau résultat d'un combat où les deux groupes d'hommes voulaient s'emparer d'elle vivante...

## Le procédé de l'« étranger »

La découverte de la réalité par un être « étranger » est un procédé courant de l'humour. Ce personnage particulier est extérieur parce qu'il provient d'un autre pays, ou bien parce que son innocence, sa « candeur » le font échapper à la routine, au conformisme qui nous poussent à trouver normale une situation révoltante.

Les *Provinciales* (1657) de Blaise Pascal dénoncent par ce moyen les querelles religieuses du XVIIe siècle : ces lettres d'un Parisien faussement naïf à un ami provincial. Les *Lettres persanes* (1721) de Montesquieu mettent en scène un jeune Persan qui découvre les mœurs étranges des Français. Voltaire reprend ce procédé dans *Candide* ou dans *L'Ingénu*, dont les héros, grâce à leur intelligence encore vierge de préjugés, s'étonnent des injustices de la vie et de la société.

# L'IRONIE

## Définition et mécanismes de l'ironie

Dans *Le Rire* (1940), Henri Bergson analyse l'ironie comme un procédé inverse de l'humour. Ce dernier consiste à « décrire minutieusement et méticuleusement ce qui est en affectant de croire que c'est bien là ce que les choses devraient être ». L'ironie consiste, elle, à « énoncer ce qui devrait être en feignant de croire que c'est précisément ce qui est » : on dit le contraire de ce que l'on pense. Lorsque Voltaire parle d'un « bel autodafé » (chap. 6), il faut donc comprendre « un horrible autodafé ». L'adjectif « bel » présente comme agréable une cérémonie religieuse cruelle.

Dans *Candide*, la critique de Pangloss et de l'optimisme passe constamment par l'ironie. En effet, le philosophe explique que « tout est bien » (chap. 1, 5), que « les malheurs particuliers font le bien général » (chap. 4), que les causes s'enchaînent d'une façon rationnelle pour produire finalement le meilleur des mondes possibles. Cette affirmation repose sur une démonstration quasi mathématique, que le précepteur veut plaquer sur la réalité : « Il est démontré, disait-il, que les choses ne peuvent être autrement » (chap. 1). Or la réalité contredit cette thèse tout au long du conte, en accumulant des malheurs dont il ne sort guère de bien : ce qui devrait être n'est pas.

Mais l'ironie s'applique aussi à d'autres cibles. Les autorités du clergé ou de l'armée en font souvent les frais, car elles prétendent faussement posséder la vérité ou agir réellement pour le Bien.

## Les moyens stylistiques de l'ironie

Parmi les nombreuses figures de style possibles, l'une des plus courantes pour exprimer l'ironie est l'antiphrase, qui consiste à dire le contraire de ce que l'on pense. C'est le cas du « bel autodafé », mais on trouve bien d'autres exemples dans le conte. Au chapitre 14, Cacambo loue l'organisation instaurée par les jésuites au Paraguay : « Los Padres y ont tout, et les peuples rien ; c'est le chef-d'œuvre de la raison et de la justice. » En fait, Voltaire dénonce l'exploitation des Indiens par des Occidentaux. Ici, l'antiphrase se double d'une hyperbole (« le chef-d'œuvre »). L'hyperbole consiste à augmenter ou diminuer excessivement la vérité des choses pour qu'elle produise plus d'impression.

Le jeu sur les causalités est tout aussi courant. Voltaire s'amuse à établir, ou à faire établir par ses héros des relations fausses entre les événements. C'est son arme préférée pour révéler l'ineptie des raisonnement de Pangloss. Par exemple, au chapitre 4, le précepteur explique à son élève que la vérole était indispensable, puisqu'elle a provoqué un bienfait pour l'humanité : « Car, si Colomb n'avait pas attrapé dans une île de l'Amérique cette maladie […], nous n'aurions ni le chocolat ni la cochenille. »

Ailleurs, l'effet obtenu n'est pas celui que l'on espérait : l'université de Coïmbre organise un autodafé pour empêcher un nouveau séisme, mais la terre tremble immédiatement après (chap. 6), ce qui révèle la cruauté inutile des croyances répandues par de faux savants. Il arrive enfin que la vraie cause soit sous-entendue, ce qui rend absurde l'action racontée : l'université fait saisir « un Biscayen convaincu d'avoir épousé sa commère », « deux Portugais qui ont arraché le lard d'un poulet ». Ces personnes ont transgressé des interdits religieux, mais Voltaire ne le dit pas, ce qui met en relief le contraste entre leur action, somme toute banale, et le châtiment horrible qui va suivre.

## LE COMIQUE

### Formes traditionnelles du comique

Voltaire combine l'ironie et l'humour avec les recettes habituelles du comique, qui touche les mots, les caractères et les situations.

L'expression : « la métaphysico-théologo-cosmolonigologie » (chap. 1) relève du comique par son caractère trop savant et surtout sa fin, qui introduit subrepticement l'adjectif « nigaud », ruinant ainsi le sérieux et la crédibilité de Pangloss. Même effet dans l'enflure du nom du gouverneur de Buenos Aires.

Le comique de caractère est constant. Pangloss s'entête dans ses erreurs malgré les évidences : « Il ne me convient pas de me dédire, Leibniz ne pouvant pas avoir tort » (chap. 28). Candide a une incorrigible naïveté : il s'imagine par exemple que les Hollandais, parce qu'ils sont riches et chrétiens, le recevront à bras ouverts (chap. 3).

Le comique de situation utilise les contrastes entre la candeur du héros et la noirceur des gens qu'il rencontre. Ainsi les soldats bulgares enrôlent Candide de force (chap. 2). Le pragmatisme de Cacambo tranche avec la naïveté de Candide : ce dernier croit que des singes attaquent les femmes, et s'étonne ensuite de leur « bonté d'âme » quand elles pleurent la mort de ces bêtes. Cacambo, lui, comprend que c'était une scène d'amour (chap. 16).

Voltaire multiplie les revirements des personnages, marionnettes agitées par des passions contradictoires. Au chapitre 15, le baron embrasse Candide dans sa joie des retrouvailles et le traite de « frère », de « sauveur », puis l'insulte lorsqu'il apprend son projet d'épouser Cunégonde (« insolent », « coquin »).

Enfin, l'auteur recourt systématiquement au comique de répétition. Pangloss débite le même discours en toutes circonstances. Pococuranté critique tout (chap. 25), les princes du souper vénitien ont tous la même histoire (chap. 26) et terminent leurs récits de façon identique : « Je suis venu passer le carnaval à Venise. »

## Parodie et pastiche

La parodie consiste à imiter une œuvre ou un personnage, dans un but ironique ou simplement comique. Le pastiche est un procédé analogue, qui porte surtout sur le style d'un artiste dont on se moque en l'imitant. Dans *Candide*, Voltaire pastiche les longues généalogies de l'Ancien Testament lorsqu'il énumère les étapes de la transmission d'une maladie vénérienne, la vérole (chap. 4). Il parodie le style des romans d'amour en accumulant les scènes de retrouvailles émues entre les personnages, par l'abus des interjections et des apostrophes, par l'exagération des gestes : « Ô Ciel ! est-il possible [...] Quel miracle ! [...] Serait-ce vous ? [...] Cela n'est pas possible [...]. Ils se laissent tomber tous deux à la renverse, ils s'embrassent, ils versent des ruisseaux de larmes » (chap. 14).

Le roman d'aventures, le roman picaresque, le genre littéraire de l'utopie ou du conte oriental et exotique subissent le même traitement.

## Le burlesque

Cette forme de comique traite un sujet noble, héroïque ou tragique avec un style bas, prosaïque. La situation dramatique de la vieille est drôle par l'évocation répétée de la demi-fesse qui lui reste (chap. 12). Quand Candide, à Venise, imagine le sort romanesque réservé à Cunégonde, Cacambo répond avec trivialité : « Cunégonde lave les écuelles sur le bord de la Propontide » (chap. 27). On trouve la même dérision dans le dialogue du nébuleux Pangloss et du sage turc du chapitre 30 : « Je me flattais, dit Pangloss, de raisonner un peu avec vous des effets et des causes, du meilleur des mondes possibles, de l'origine du mal, de la nature de l'âme, et de l'harmonie préétablie. » Le derviche, à ces mots, leur ferme la porte au nez. Ici, la parodie littéraire se double d'une satire des mœurs, en rendant les personnages ridicules.

La variété, la pertinence des procédés satiriques placent *Candide*, parmi les grands succès du genre : *Les Voyages de Gulliver* de Jonathan Swift, *Les Provinciales* de Blaise Pascal, les *Lettres persanes* de Montesquieu, ou les pièces de Molière.

# 11 | Structure et rythme du récit

*Candide* donne l'impression d'une addition d'aventures disparates. Pourtant le conte est solidement construit. En outre, le rythme
de la narration unit intimement les péripéties.

## L'ABSENCE APPARENTE
## DE STRUCTURE

### Une accumulation d'épisodes

La chronologie des événements est difficile à établir en raison d'in-
dications temporelles rares et peu claires. Les changements de lieu
et de saison interviennent rapidement. Ce caractère très lâche du
récit apparaît dès le début : Candide, chassé du château, se retrouve
au milieu de « gros flocons » de neige (chap. 2), alors que le climat
se prêtait, la veille, aux ébats amoureux en plein air (chap. 1). Voltaire
prend souvent des libertés avec les événements réels. Le tremblement de terre de Lisbonne (novembre 1755) intervient au chapitre 5,
alors que la guerre de Sept Ans, qui lui est postérieure (1756),
occupe le chapitre 3.

À la succession d'événements désordonnés s'ajoute celle des
contrées visitées et des personnages, dont la plupart ne réapparais-
sent plus. Sur la quinzaine de lieux traversés, seuls trois occupent
plus de deux chapitres : Lisbonne (chap. 5-9), Venise (chap. 24-26),
Constantinople et ses abords (chap. 27-30). Et le récit de la vieille
évoque une vingtaine de villes en deux chapitres...

Voltaire juxtapose des tableaux formant une petite unité disso-
ciable des autres. Cette composition permet d'ajouter des épisodes

au fil des éditions : la discussion avec le nègre de Surinam, absente du manuscrit, fut intercalée juste avant la première édition de 1759; le chapitre 22 sur Paris fut considérablement rallongé en 1761.

Par ailleurs, Voltaire recourt aux récits emboîtés, qui firent le succès des romans du XVIIe siècle et seront repris au XVIIIe siècle, par exemple dans *La Vie de Marianne* de Marivaux. Il s'agit d'insérer dans le récit l'histoire d'un personnage secondaire. Outre la vie des six princes, on trouve les récits de Pangloss (chap. 4, 28), Cunégonde (chap. 8), la vieille (chap. 11-12), le baron (chap. 15, 28), Martin (chap. 20-21), Giroflée et Paquette (chap. 24). La prise du château est ainsi racontée trois fois, par Pangloss, par Cunégonde et par le baron. Rien ne s'oppose à multiplier ainsi les récits.

## ▌Le désordre apparent des thèmes

La fantaisie chronologique s'accompagne d'une grande liberté dans le traitement des thèmes. Ici encore le lecteur se trouve devant un catalogue désordonné. Le conte débute classiquement par un baiser et s'achève par un mariage, en passant par les séparations et retrouvailles du couple central. Mais les deux héros sont rarement réunis. *Candide*, en revanche, offre une incroyable galerie de formes de sensualité : la femme entretenue (Cunégonde à Lisbonne puis à Buenos Aires), les amours ancillaires (Pococuranté et ses servantes), la prostitution populaire (Paquette) ou de salon (marquise du chap. 22), l'homosexualité (chap. 4 sur la généalogie d'une maladie sexuellement transmissible, la vérole; chap. 15 pour la tendresse du père Croust envers le baron). Ni les problèmes sexuels des castrats (chap. 11), ni la zoophilie (chap. 16) n'échappent à cette liste imposante.

Même exhaustivité débridée pour le thème de la religion. Voltaire évoque les catholiques, les protestants, les déistes de l'Eldorado, les musulmans, avec leurs sous-groupes : anabaptistes, jésuites, théatins, cordeliers, imams, derviches, muphtis.

On citera d'autres exemples de thèmes ainsi traités : la guerre, les philosophes, etc. Mais le souci d'exhaustivité ne saurait assurer l'unité du conte. L'auteur procède aussi par répétitions, pour le viol (viols de Cunégonde, de la vieille), les pirateries (chap. 11, 20), l'esclavage (chap. 12 pour le rachat de la vieille, chap. 19). Le souper de Venise (chap. 26) fait entendre les récits de six princes déchus dans des conditions assez proches.

## UNE STRUCTURE DISCRÈTE
## ET COMPLEXE

### ▌Parallélismes et contrastes

Cette accumulation pourrait ne pas avoir de fin, ni d'autre lien que l'énoncé de tous les malheurs du monde. Pourtant les épisodes entretiennent entre eux des correspondances multiples et complexes.

La répétition approfondit la réflexion sur un thème, parfois à plusieurs chapitres de distance, par des variations significatives. Voltaire renforce ainsi sa critique des fanatismes en dénonçant à deux reprises l'utilisation de la religion au milieu des guerres. Pendant le combat du chap. 3, « les deux rois faisaient chanter des *Te Deum* chacun dans son camp ». Durant le conflit marocain, les musulmans s'entre-tuaient « sans qu'on manquât aux cinq prières par jour ordonnées par Mahomet » (chap. 11). L'auteur montre ainsi qu'il ne réprouve pas une religion particulière, mais l'abus qui en est fait pour renforcer les conflits au lieu de favoriser la paix.

La critique s'effectue aussi par contrastes. Au chapitre 3, Candide rencontre un protestant qui l'insulte et refuse de l'aider, puis l'anabaptiste Jacques, qui le comble de bienfaits. À première vue, il n'existe aucun rapport entre ces deux hommes qui appartiennent à deux tendances différentes du christianisme. Pourtant le premier est intolérant car il chasse Candide uniquement parce qu'il ne partage pas ses principes théologiques. Au contraire, le second l'aide sans lui demander sa religion. La leçon morale du passage est que la vraie charité n'a rien à voir avec les finesses de la théologie.

Au chapitre 16, les Oreillons, qui sont des « sauvages » anthropophages, renoncent à tuer Cacambo et Candide après avoir entendu les arguments du valet. Ce bon sens contraste avec la barbarie des Européens, qui passent pourtant pour civilisés mais tuent sans écouter ni même sans respecter femmes ou vieillards, par exemple lors du massacre des Abares et des Bulgares (chap. 3).

## Les préfigurations

Ailleurs, des aventures en préfigurent d'autres, tissant ainsi tout un réseau d'échos, l'un des épisodes amplifiant l'autre. La destinée de la vieille reprend et annonce celle de Cunégonde : belles, nobles et heureuses au départ, elles subissent le viol, l'esclavage, les ravages de la vieillesse. Mais le sort de la vieille est plus malheureux : elle est mutilée, solitaire, alors qu'elle était princesse (Cunégonde n'est que baronne). Voltaire montre ainsi que les malheurs sont relatifs.

De même, il n'est guère de chapitre sans mention de guerres contemporaines ou passées, mais seuls certains d'entre eux sont centrés sur ce thème (chap. 2, 3, 11, 12, 23). Les plus importants sont les chapitres 2 et 3, où le thème apparaît pour la première fois et longuement. Ils annoncent les autres passages, qui ne seront que des variations destinées à ancrer dans l'esprit du lecteur l'idée que les conflits sont inutiles et absurdes.

## Un récit qui s'organise autour de fils directeurs

Le voyage, l'interrogation sur le monde, la quête de l'amour et du bonheur constituent les principaux guides autour desquels s'ordonnent les aventures. Voltaire ne se contente pas d'entrelacer les leitmotive, c'est-à-dire des thèmes qui reviennent à plusieurs reprises (la guerre, l'amour, la religion, le paradis).

L'ensemble du conte est unifié par le thème du voyage. En effet, les nécessités des transports de l'époque expliquent que Candide aille en Espagne afin de s'embarquer pour le Nouveau Monde, ou qu'il arrive en Turquie après un passage le long des côtes anglaises et une escale en Italie. Mais ses motivations changent au cours du périple.

D'abord, il fuit les malheurs, puis, après l'Eldorado, son voyage devient plus organisé. Il poursuit alors un but précis, revoir

Cunégonde et utiliser sa richesse pour être heureux (→ PROBLÉMATIQUE 8, p. 71). Ainsi les retrouvailles avec Cacambo à Venise n'obéissent plus au hasard : les deux amis se sont fixé rendez-vous. La traversée vers la Turquie vise à rejoindre la bien-aimée, qui lave des écuelles en Propontide. L'apparente incohérence des épisodes de la première moitié du conte obéit donc à un dessein de l'auteur, qui veut montrer combien son héros se laisse passivement guider par le hasard tant qu'il n'a pas mûri.

Les réactions différentes de Candide face aux mêmes péripéties révèlent la profonde évolution de son caractère. Au Paraguay, il tue le baron lorsque celui-ci refuse de le laisser épouser sa sœur (chap. 15). En Turquie, il se contentera de le chasser (chap. 30). Le jeune homme a appris à dominer ses passions. La façon dont il fait taire Pangloss à la fin du conte suggère combien il a pris ses distances avec les théories de son précepteur, qu'il écoutait aveuglément au départ.

## LE RYTHME DU RÉCIT

Voltaire mène avec art un récit pourtant riche en péripéties. Le rythme qui contribue à structurer le conte sert ses intentions secrètes. La rapidité, l'alternance et l'enchaînement des faits stimulent l'attention du lecteur.

### La rapidité du récit

Portraits et descriptions se réduisent au strict minimum. Le physique des personnages n'est qu'esquissé. De Candide, on ne saura que deux choses précises et utiles au récit : sa taille de « cinq pieds cinq pouces » justifie son enrôlement comme soldat (chap. 2) ; la qualité de sa peau émeut la sensualité de Cunégonde (chap. 8). Le Nouveau Monde n'est évoqué que par quelques animaux ou quelques plantes (chap. 14, 15 et 16).

Les événements se précipitent souvent en peu de lignes. Le chapitre 5 contient ainsi une tempête, un naufrage, un séisme. Une seule ligne peut contenir une série d'actions, comme le montre cette phrase du chapitre 6 : « Il s'en retournait, se soutenant à peine, prêché, fessé, absous et béni, lorsqu'une vieille l'aborda et lui dit [...] »

Cette rapidité, nécessaire au genre du conte, explique que Voltaire malmène la chronologie. Il enchaîne par exemple les deux séismes, alors qu'en réalité ils se sont produits à deux mois d'intervalle.

Ailleurs, il utilise la valeur des différents temps de notre langue pour signifier la durée des actes. Le chapitre 1 est à l'imparfait de l'indicatif pour l'évocation de l'enfance du héros, qui s'est déroulée sur plusieurs années. Le passé simple, temps des actions rapides ou uniques, marque en revanche la « chute » du jeune garçon chassé du paradis terrestre.

L'absence de mots de liaison entre les phrases contribue à la célérité de la narration. La fin du chapitre 13 est typique de cette juxtaposition de faits insérés dans des phrases courtes, mais on pourrait citer d'autres exemples.

## L'alternance de rythmes différents

Ce procédé classique est commun aux contes, aux romans, au théâtre, à la musique ou au cinéma. Il consiste, pour ménager l'attention du public, à alterner des épisodes courts et longs, calmes ou violents.

Après le calme des deux chapitres consacrés à l'Eldorado, l'action est relancée par le chapitre 19, où Candide retrouve brutalement la dure réalité. Il rencontre le nègre de Surinam, apprend que Cunégonde est la maîtresse du gouverneur de Buenos Aires, se fait voler par Vanderdendur et un juge, et entend le récit d'hommes malheureux. Inversement, Voltaire avait alterné violence et réconfort en faisant rencontrer au chapitre 3 le bon anabaptiste par un Candide qui venait de vivre l'enrôlement, la guerre et la méchanceté du protestant hollandais (chap. 2-3).

L'insertion de récits dans le récit répond, malgré les apparences, à la même volonté d'une lecture au rythme enlevé. Elle permet de multiplier les expériences connues par Candide sans prendre le temps de les lui faire vivre. Voltaire en use d'ailleurs avec une relative économie lorsqu'on le compare à d'autres auteurs. Il réserve ce procédé aux principaux personnages. Les plus longs (récits de Cunégonde et de la vieille) livrent une expérience féminine, différente de celle de Candide.

## ▌L'enchaînement des chapitres

Les titres sont variés. Ils stimulent l'intérêt en annonçant une catastrophe (chap. 1 : « […] et comment il fut chassé d'icelui » [= d'ici]) ou un soulagement (chap. 7 : « Comment une vieille prit soin de Candide, et comment il retrouve ce qu'il aimait »). Ces annonces lient des aventures qui sans cela sembleraient juxtaposées ou isolées. Le même effet est obtenu en terminant un chapitre par le début d'une nouvelle péripétie : le lecteur a hâte de tourner la page. Candide est chassé du château dès les dernières lignes du premier chapitre. La dernière phrase du chapitre 2 annonce la bataille entre Abares et Bulgares, etc.

Parfois, au contraire, le titre d'un chapitre n'apprend pas l'essentiel : celui du chapitre 9 est banal ; pourtant le héros, d'ordinaire si doux, tuera deux hommes en quelques secondes. La surprise sera d'autant plus grande que rien ne la laissait présager.

L'auteur utilise donc toutes les ressources de l'écriture pour servir son dessein critique : le rythme enlevé, l'accumulation, les correspondances entre les faits contribuent à sa démonstration philosophique, en montrant par exemple l'ampleur du Mal dans le monde. Cette grande maîtrise des procédés littéraires explique le succès durable de *Candide*.

# 12 | Point de vue et énonciation

Le point de vue selon lequel sont racontés les événements joue un rôle important pour la compréhension du récit et l'effet produit sur le lecteur. *Candide* présente la palette entière de ces moyens d'énonciation. Voltaire privilégie ceux qui servent son dessein critique, lequel est également renforcé par un mélange subtil des procédés.

## LA VARIÉTÉ DES POINTS DE VUE

Une histoire peut être racontée par un personnage, par un témoin extérieur ou directement par un narrateur, qui s'identifie ou non à l'auteur. Chacune de ces modalités de narration, appelée « focalisation » par certains critiques, figure dans *Candide*.

### La focalisation zéro ou « point de vue omniscient »

Tel est le nom du procédé consistant à faire raconter par un narrateur complètement extérieur, qui sait tout des personnages, de leurs pensées secrètes et des événements. C'est le cas le plus courant à l'époque de Voltaire. Ce type de point de vue correspond en général à une volonté d'objectivité.

Dans *Candide*, le narrateur n'est pas l'auteur. La première page indique que le conte est traduit de l'œuvre d'un Allemand, le docteur Ralph. Mais nous n'en saurons pas plus.

Ainsi, dès le premier chapitre, nous voyons que le narrateur, sans être l'un des habitants de Thunder-ten-tronckh, connaît les soupçons des domestiques sur la bâtardise de Candide. Il sait que Candide trouve la jeune fille belle, « quoiqu'il ne prît jamais la hardiesse de le lui dire ». Il voit Cunégonde observer la scène d'amour entre Paquette et Pangloss, puis rien ne lui échappe de ce qui se passe derrière le paravent.

On en trouve un autre exemple à la fin du chapitre 9 pendant que Candide et les deux femmes s'enfuient de Lisbonne, « la Sainte Hermandad arrive dans la maison ; on enterre monseigneur dans une belle église et on jette Issachar à la voirie ». Seul un narrateur omniscient et présent à deux endroits à la fois peut être informé de ces événements concomitants.

## La focalisation externe

Elle consiste à montrer la réalité à travers les yeux d'un témoin extérieur, qui n'est pas l'un des héros, mais qui voit la scène comme s'il y assistait. Il peut ignorer certains faits, contrairement au narrateur omniscient de la focalisation zéro. Il n'est pas impliqué dans l'histoire, mais peut porter un jugement sur ce qu'il voit.

Au chapitre 2, il est dit que Candide est abordé par « deux hommes habillés de bleu » : le narrateur semble ne pas avoir reconnu dans ces vêtements les soldats recruteurs du roi des Bulgares. De même, au chapitre 3, « [l']homme qui venait de parler tout seul une heure de suite sur la charité dans une grande assemblée » n'est pas identifié comme un orateur protestant. Cette identité ne transparaîtra que dans ses paroles, lorsqu'il demande à Candide s'il croit que le pape est l'Antéchrist.

Souvent, également, on a l'impression que le narrateur assiste au dialogue des personnages, dont il enregistre fidèlement les paroles, presque sans commentaire (chap. 21 et 28).

## La focalisation interne

Dans ce cas, c'est le point de vue subjectif d'un personnage qui est donné, soit par ses paroles, soit par ses pensées.

Les chapitres 8, 10 et 11 sont entièrement consacrés aux récits de Cunégonde et de la vieille, qui racontent et commentent longuement leurs aventures. Le plus souvent, le conte livre les réflexions de

Candide : « Candide, épouvanté, interdit, éperdu, tout sanglant, tout palpitant, se disait à lui-même : « Si c'est ici le meilleur des mondes possibles, que sont donc les autres ? » [...] (chap. 6). Mais le chapitre 19 révèle aussi le raisonnement de Vanderdendur, le marchand hollandais qui vole le héros.

# L'ÉNONCIATION AU SERVICE DE LA SATIRE

S'interroger sur l'énonciation, c'est se demander qui parle, et à qui. On comprend mieux, ainsi, à qui appartient l'opinion exprimée. Voltaire joue de chacun des modes d'énonciation pour agir sur le lecteur.

## ▌L'apparente objectivité

Si le récit était à la première personne, nous pourrions douter de la véracité des faits, et de la qualité de leur interprétation. Or, le but de Voltaire est de révolter le lecteur devant les faits, plutôt que de lui faire partager sa propre révolte ou celle d'un narrateur. Il est en effet plus efficace que le lecteur tire lui-même les conclusions de ce qu'on lui montre.

La plupart du temps, les événements sont donc énoncés à la troisième personne du singulier ou du pluriel, comme s'il n'y avait pas de vision subjective. Le narrateur ne dit « je » qu'une fois : « C'est, je crois, pour cette raison qu'on le nommait Candide » (chap. 1). Le choix d'un narrateur différent de l'auteur, le docteur Ralph, vise à protéger Voltaire de la censure, mais aussi à donner un gage de sérieux objectif au conte : le titre de « docteur » est le plus élevé de l'université germanique, et l'Allemagne était alors la patrie des plus grands philosophes.

La focalisation zéro permet également de montrer des événements qu'un seul témoin ou un personnage n'auraient pu connaître, et qui sont nécessaires à la critique religieuse ou sociale. Dans l'exemple donné plus haut, le fait qu'Issachar soit jeté à la voirie et l'Inquisiteur enterré en grande pompe n'est pas innocent : il montre la scandaleuse inégalité de traitement que subissent les juifs en raison de l'intolérance chrétienne.

La personnalité du narrateur explique aussi ses références savantes au système philosophique de l'optimisme, ou aux règles juridiques de la guerre. La phrase : « C'était un village abare que les Bulgares avaient brûlé, selon les lois du droit public » (chap. 3), est une allusion à un célèbre ouvrage de Grotius, *Du droit de la guerre*. Ce livre présentait les conflits armés comme l'une des relations normales entre les peuples, et discutait des règles à suivre en ce domaine. En juxtaposant dans le récit l'expression « droit public » et la description des massacres, Voltaire dénonce, sans avoir à la souligner, la cruauté de ces théories, élaborées en dehors des souffrances humaines. L'objectivité du narrateur est ici au service de la satire voulue par l'auteur.

Néanmoins, cette objectivité est parfois volontairement oubliée ; le narrateur n'hésite pas à porter des jugements sur les personnages pour influencer le lecteur par un simple mot glissé dans un récit apparemment objectif. Parmi les nombreux exemples, on citera les chapitres 4, 5, et 6, où Jacques est constamment désigné comme un « bon » anabaptiste, un homme « charitable », tandis que le matelot qui le noie est un « brutal ». À deux reprises, le narrateur juge que Candide est « bon » (chap. 9 et 24) ainsi que le vieillard turc (chap. 30).

## La force de la subjectivité

La naïveté de Candide est souvent présentée avec amusement, par exemple lorsqu'il croit que Pangloss est « le plus grand philosophe de la province, et par conséquent de toute la terre » (chap. 1). Il en est de même quand il manifeste sa joie avec trop d'enthousiasme lors de retrouvailles avec Cunégonde (chap. 7). Cette illusion vient de son ignorance du monde. Mais Voltaire fait du jeune homme le héros central, celui dont la focalisation interne est la plus fréquente, pour que le lecteur s'identifie insensiblement à ce personnage sympathique, compatisse à ses malheurs et partage ses révoltes. Jamais le narrateur ne quitte Candide, seul personnage toujours présent, qu'il soit vu de l'extérieur ou que le conte nous livre ses pensées. Le procédé le plus courant consiste à montrer la réalité à travers les yeux du jeune homme, qui s'étonne des incohérences et des injustices soudain révélées. Ainsi, au chapitre 2, « Candide, tout stupéfait, ne démêlait pas encore trop bien comment il était un héros », puisque être héroïque signifie que l'on est manié comme une marionnette par les sergents recruteurs, et battu « de trente coups de bâton » sans raison visible.

L'évolution progressive de Candide vers le refus de l'optimisme devient celle du lecteur, comme elle fut d'ailleurs celle de Voltaire. L'auteur est en effet un optimiste repenti, scandalisé successivement par le tremblement de terre de Lisbonne, la guerre de Sept Ans ou l'assassinat de l'amiral Byng, comme l'est son héros (chap. 6, 3 et 23), pour des événements intervenus en 1756 et 1757. Les larmes de Candide sont émouvantes parce que l'on sent qu'elles ont été versées par Voltaire. Le lecteur partage aussi la colère du jeune homme lorsque le frère de Cunégonde lui refuse le droit d'épouser une noble (chap. 14, 29-30) ; cette colère est d'ailleurs aussi celle de Voltaire, roturier ambitieux, confronté à la place conservée, au XVIIIe siècle, par les nobles.

## Les subtilités de *Candide*

Voltaire va donc très loin dans l'utilisation habile des différentes formes d'énonciation. En fait, il les alterne et les mêle sans cesse.

L'apparente objectivité apportée par la focalisation zéro est constamment bafouée par la façon tendancieuse dont le narrateur présente les événements. L'incompréhension de Candide face aux contradictions du monde envahit le récit, et renforce donc la facilité du lecteur à s'étonner et se révolter comme le héros. L'évocation de l'autodafé est exemplaire à cet égard. Il est raconté comme s'il était vécu par Candide, qui ne reconnaît pas, dans les « deux Portugais qui en mangeant un poulet en avaient arraché le lard [...] », l'interdit religieux qui motive un tel châtiment (chap. 6). Ainsi éclate le contraste entre la banalité de l'acte et la gravité de la punition. Le procédé est constant.

Ailleurs, tout est mêlé : c'est un personnage qui condamne sans en avoir l'air une situation que le narrateur expose avec la plus grande objectivité. Cacambo vante à Candide le royaume des jésuites au Paraguay : « C'est une chose admirable que ce gouvernement [...] Los Padres y ont tout, et les peuples rien. [...] ; cela me ravit » (chap. 14). L'enthousiasme du valet, que l'on sait bon et charitable, sonne faux : ici c'est l'auteur qui est ironique et qui condamne l'inégalité instaurée par les jésuites. Plus loin, le narrateur observe qu'« un excellent déjeuner était préparé dans des vases d'or; tandis que les Paraguains mangèrent du maïs dans des écuelles de bois, en plein champ, à l'ardeur du soleil ». Il ne fait aucun commentaire, mais la description était préparée par les paroles de Cacambo, ainsi que le jugement que le lecteur ne peut manquer de porter sur cette injustice.

Au chapitre 19, la description (« il manquait à ce pauvre homme la jambe gauche »), les paroles du nègre (« C'est à ce prix que vous mangez du sucre en Europe ») et le désespoir de Candide (« Il versait des larmes en regardant son nègre ») s'allient pour révolter le lecteur contre le sort réservé aux esclaves.

Voltaire fait dans *Candide* un usage particulièrement complexe et efficace de tous les procédés de focalisation et d'énonciation. Cette habileté a une grande part dans l'admiration que soulève le conte pour son style et sa force satirique.

# 13 | L'impact culturel de *Candide*

Succès magistral à sa parution, Candide passe aujourd'hui pour l'un des sommets de la littérature française. Le regard du public a cependant changé. Après avoir pesé sur les principales polémiques du XVIII<sup>e</sup> siècle, le conte a connu un oubli relatif. Depuis le XX<sup>e</sup> siècle, le contenu de la satire redevient plus que jamais actuel, mais l'essentiel de l'admiration va au style.

## LA PORTÉE DE *CANDIDE* AU XVIII<sup>e</sup> SIÈCLE

### Un immense succès

À la mi-janvier 1759, *Candide* paraît anonymement à Paris, Londres et Amsterdam. À la fin de l'année, on dénombre vingt éditions françaises, quatre traductions anglaises, une italienne.

La censure réagit vite à l'insolence du livre : on saisit des exemplaires à Paris, et les pasteurs protestants de Genève condamnent l'œuvre dès 1759, car remplie « de principes dangereux » et « tendant à la dépravation des mœurs ». Les catholiques la condamnent à Rome en 1762. Comme souvent à l'époque, un anonyme, peut-être l'abbé Guyon, publie une réfutation des thèses de *Candide* (*L'Oracle des nouveaux philosophes*, 1760).

Pour se protéger, Voltaire nie être l'auteur de ce qu'il appelle dans ses lettres une « coïonnade », bien que tous reconnaisse son style. Cependant, sensible aux critiques, il remanie en 1761 le chapitre 22 sur Paris. On compte, de 1759 à sa mort en 1778, une cinquantaine d'éditions et de contrefaçons. Des imitateurs avides de succès publient des suites, sous le titre *Nouvelles Aventures de Candide*.

## Une œuvre au cœur des polémiques

Comment expliquer ce retentissement? *Candide* traite violemment de problèmes religieux et philosophiques essentiels à cette époque.

« Mangeons du jésuite! » s'exclament les Oreillons anthropophages (chap. 16). Peu après la parution, le duc de La Vallière informait Voltaire, dans une lettre, que cette phrase audacieuse était passée en proverbe chez les ennemis de ces religieux, dont les abus et l'intolérance scandalisaient (→ PROBLÉMATIQUE 5, p. 50). Certains ont dit que les attaques de *Candide* avaient contribué à l'expulsion des jésuites de France en 1762.

L'optimisme de Leibniz et de ses disciples était également mis à mal par la satire du personnage de Pangloss (→ PROBLÉMATIQUE 4, p. 44). Le conte eut un rôle dans le combat de Voltaire contre ce mouvement philosophique, représenté surtout par Jean-Jacques Rousseau.

En matière de critique religieuse et sociale, de réflexion scientifique ou métaphysique, *Candide* pesa sans doute autant que l'*Encyclopédie*, somme impressionnante des nouvelles idées, mais peu accessible au grand public. Un célèbre mot de Lord Chesterfield à son fils, qui lui demandait s'il fallait acheter l'*Encyclopédie*, résume le pouvoir vulgarisateur du conte : « Vous l'achèterez, mon fils, et vous vous assiérez dessus pour lire *Candide*. » Le passage du nègre de Surinam, notamment la phrase : « C'est à ce prix que vous mangez du sucre en Europe » (chap. 19), contribua également à la lutte contre l'esclavage, au même titre que *L'Esprit des lois* de Montesquieu (1748, livre 15, chap. 5) ou les *Réflexions sur l'esclavage des Nègres* de Condorcet (1781).

## Influence sur la Révolution

Les revendications sociales incluses dans le conte participèrent en outre au climat qui conduisit en 1789 à la Révolution française. Le personnage de Candide subit les brimades des nobles pour qui les quartiers de noblesse surpassent le mérite personnel. Son père, « un bon et honnête gentilhomme », n'a pu se marier avec la sœur du baron, parce qu'il n'avait « pu trouver que soixante et onze quartiers » (chap. 1). À son tour, Candide ne peut épouser Cunégonde, car il est méprisé par son père (chap. 1) et son frère (chap. 15, 29). La révolte finale de Candide, qui chasse son futur beau-frère (chap. 30), annonce la grande tirade du *Mariage de Figaro* (acte V, scène 3), où Beaumarchais critique avec violence, en 1784, l'ordre social qui donne tout aux nobles et rien aux autres.

*Candide* est une des œuvres de Voltaire qui lui valurent l'admiration des révolutionnaires.

## L'ACTUALITÉ DE *CANDIDE* DU XIXᵉ AU XXIᵉ SIÈCLE

### Une postérité tardive

Voltaire pensait survivre par ses tragédies, écrites dans le goût classique du XVIIᵉ siècle, selon des règles qui lui semblaient l'apogée de l'art. Il jugeait les contes comme un genre secondaire, voué à l'oubli rapide.

Les romantiques restèrent insensibles à une ironie dans laquelle ils voyaient, à tort, un manque de sensibilité. Mme de Staël, dans son ouvrage *De l'Allemagne* (3ᵉ partie, chap. 4, 1810), se dit choquée par la « gaîté infernale » de *Candide*. Les manuels scolaires et les critiques littéraires, jusqu'au début du XXᵉ siècle, ne retiennent que les pièces et les essais historiques de Voltaire.

Pourtant *Candide* fut régulièrement réédité, jamais oublié, souvent illustré par de grands artistes, comme Jean-Michel Moreau (1836) ou Paul Klee (1911). Gustave Flaubert, dans une lettre du 7 juin 1844 à Louise de Cormerin, dit son admiration pour la leçon de sagesse donnée par le conte, cette fin « bête comme la vie » : « La fin de *Candide* est pour moi la preuve criante d'un génie de premier ordre. » Mais Gustave Flaubert fut un précurseur de la mentalité moderne, l'un des premiers à sentir la force de *Candide* pour la remise en cause de la condition humaine. *L'Éducation sentimentale* (1869) est un roman d'éducation sur les illusions amoureuses ou sociales; *Bouvard et Pécuchet* (1881) est un panorama exhaustif et cinglant de la bêtise.

## ▌Un renouveau après 1945

Les drames des deux guerres mondiales provoquèrent une crise des consciences contre l'intolérance et la fureur guerrière, proche de celle qui saisit Voltaire au XVIIIᵉ siècle devant l'Inquisition et la guerre de Sept Ans.

Dans la revue *Confluences* (n° 1, janvier 1945), Julien Benda remarque : « Les hommes auxquels s'attaque Voltaire sont surtout venus après lui, ils sont en grande partie nos contemporains. » Voltaire prévoyait-il les conflits mondiaux, le nazisme et le totalitarisme soviétique? Certainement pas, mais il dénonçait les causes et les manifestations de ces attitudes destructrices.

Contrairement aux romantiques, nos contemporains sont sensibles au caractère pathétique de la vision du monde exprimée par Voltaire. Là où nos ancêtres ne voyaient qu'une critique trop féroce des vices humains, nous reconnaissons le sentiment d'absurdité qui saisit devant l'accumulation des malheurs et des maux dus à la nature et aux hommes.

Il n'est donc pas étonnant que *Candide* ait influencé *Charlot soldat* de Charlie Chaplin (1918) et les premières pages du *Voyage au bout de la nuit* (1932) ou de *Casse-pipe* (1952) de Louis-Ferdinand Céline. Au début de ce film muet et de ces deux romans, un jeune homme naïf découvre les horreurs de la guerre 14-18, comme Candide au chapitre 3. Plus récemment, *La Plaisanterie* de Milan Kundera (1963) montrait un naïf plongé dans l'horreur de l'univers stalinien en république tchèque.

À ces reprises partielles s'ajoutent, dans les années 1950-1970, de nombreuses œuvres critiques ainsi que des adaptations cinématographiques ou théâtrales. Se succèdent, sous le titre de *Candide*, un opéra de Léonard Bernstein (1956), un film de Norbert Carbonneaux (1960), un téléfilm de Pierre Cardinal (1962), une pièce de Serge Ganzl (1977). L'Italien Leonardo Sciascia écrit, en 1978, une imitation adaptée au xxᵉ siècle, *Candido ou un rêve fait en Sicile*. En 1994, le dessinateur Wolinski publie une édition illustrée de *Candide*.

## LA POSTÉRITÉ ESTHÉTIQUE

### Le rythme

« Que retenez-vous de Voltaire ? » demanda Bernard Pivot aux lycéens assistant à l'émission « Bouillon de culture » consacrée à cet auteur en mai 1994. Leur réponse fut : « le plaisir de la lecture » plus que le contenu. Cet avis peut surprendre. Cependant, il est partagé depuis longtemps par certains critiques. Si la plupart d'entre eux s'intéressent à « La religion de Voltaire » (René Pomeau, 1974), ou à « Candide et la question de l'autorité » (Jean Starobinski, article de 1977), Italo Calvino, dans une préface au conte en 1974, notait : « Dans *Candide* aujourd'hui, ce n'est pas le conte philosophique qui charme le plus, ni la satire, ni l'élaboration d'une morale et d'une vision du monde ; c'est le rythme. »

À cette « vélocité » s'ajoute pour Calvino la « grande trouvaille du Voltaire humoriste », qui « deviendra l'un des effets les plus sûrs du cinéma comique : l'accumulation de désastres à toute vitesse ». Buster Keaton, Charlie Chaplin, Jacques Tati, Woody Allen reprennent cette recette du héros naïf dont les déboires répétés font rire de tous les aspects de la vie.

Le rythme des épisodes de *Candide* rappelle également des procédés utilisés par le journalisme moderne, qu'il soit écrit, oral ou télévisé : rapidité du traitement des thèmes, expressions et images frappantes. Pour Italo Calvino, *Candide* est le modèle d'un « grand reportage sur l'actualité mondiale », une « chronique du Paris mondain et littéraire, avec des « interviews » d'un grand nombre de souverains détrônés ». De 1924 à 1937, exista un journal nommé *Candide*, qui, comme le journal *Le Figaro*, témoigne de l'influence des personnages de Voltaire et Beaumarchais comme modèles de l'insolence politique.

## La force de l'ironie et de l'humour

Là où les romantiques voyaient de l'insensibilité, notre époque découvre les moyens artistiques qui expriment le mieux la sienne. La « gaîté » voltairienne est moderne, car le xxᵉ siècle sait, selon la célèbre formule attribuée tantôt à Oscar Wilde ou Jean Giraudoux, tantôt à Boris Vian, que l'humour est « la politique du désespoir ». L'ironie, la caricature apparaissent également comme un moyen de dénoncer les injustices, moyen aussi noble que l'appel solennel et grave aux grands sentiments. L'hebdomadaire *Le Canard enchaîné*, les bandes dessinées de Gérard Lauzier et celles de Claire Brétécher reflètent cette postérité de l'esprit voltairien. Le cinéma y recourt aussi, car cet art se prête aux séquences courtes et aux effets visuels si fréquents dans *Candide*. Le cinéaste Jean-Pierre Mocky (*Un drôle de paroissien*, *Une nuit à l'Assemblée nationale*, etc.) est en ce sens un digne successeur, parce que l'on retrouve chez lui à la fois le rythme, l'ironie et la dénonciation violente de la société. En littérature, les héritiers directs de Voltaire et de *Candide* sont, sans doute, Anatole France, Marcel Aymé et Jules Renard, qui allièrent fiction plaisante et satire mordante. Le premier écrivit ainsi un pamphlet contre la guerre (*L'Île des Pingouins*, 1908) et un réquisitoire sarcastique contre l'intolérance (*Les Dieux ont soif*, 1912).

La postérité de *Candide* est donc importante et durable, malgré des éclipses. Dans son *Journal* (publié en 1927), Jules Renard, s'amusant à dresser la liste des livres à emporter sur une île déserte, place *Candide* en tête comme le plus indispensable...

# TROISIÈME PARTIE

# Lectures
# analytiques

Il y avait en Wesphalie, dans le château de monsieur le baron de Thunder-ten-tronckh, un jeune homme à qui la nature avait donné les mœurs les plus douces. Sa physionomie annonçait son âme. Il avait le jugement assez droit, avec l'esprit le plus simple; c'est, je crois, pour cette raison qu'on le nommait Candide. Les anciens domestiques de la maison soupçonnaient qu'il était le fils de la sœur de monsieur le baron, et d'un bon et honnête gentilhomme du voisinage, que cette demoiselle ne voulut jamais épouser, parce qu'il n'avait pu prouver que soixante et onze quartiers, et que le reste de son arbre généalogique avait été perdu par l'injure du temps.

Monsieur le baron était un des plus puissants seigneurs de la Westphalie, car son château avait une porte et des fenêtres. Sa grande salle même était ornée d'une tapisserie. Tous les chiens de ses basses-cours composaient une meute dans le besoin; ses palefreniers étaient ses piqueurs; le vicaire du village était son grand aumônier. Ils l'appelaient tous Monseigneur, et ils riaient quand il faisait des contes.

Madame la baronne, qui pesait environ trois cent cinquante livres, s'attirait par là une très grande considération, et faisait les honneurs de la maison avec une dignité qui la rendait encore plus respectable. Sa fille Cunégonde, âgée de dix-sept ans, était haute en couleur, fraîche, grasse, appétissante. Le fils du baron semblait en tout digne de son père. Le précepteur Pangloss était l'oracle de la maison, et le petit Candide écoutait ses leçons avec toute la bonne foi de son âge et de son caractère.

Pangloss enseignait la métaphysico-théologo-cosmolonigologie. Il prouvait admirablement qu'il n'y a point d'effet

sans cause, et que, dans ce meilleur des mondes possibles, le château de monseigneur le baron était le plus beau des châteaux et madame la meilleure des baronnes possibles. « Il est démontré, disait-il, que les choses ne peuvent être autre-
35 ment : car tout étant fait pour une fin, tout est nécessairement pour la meilleure fin. Remarquez bien que les nez ont été faits pour porter des lunettes, aussi avons-nous des lunettes. Les jambes sont visiblement instituées pour être chaussées, et nous avons des chausses. Les pierres ont été
40 formés pour être taillées, et pour en faire des châteaux. Aussi monseigneur a un très beau château : le plus grand baron de la province doit être le mieux logé ; et les cochons étant faits pour être mangés, nous mangeons du porc toute l'année : par conséquent, ceux qui ont avancé que tout est bien, ont dit
45 une sottise : il fallait dire que tout est au mieux. »

## INTRODUCTION

### Situer le passage

Ces premières lignes du conte plantent le décor, présentent les personnages mais aussi le thème philosophique. Tous les ingrédients du conte voltairien, fiction, rire, personnages stylisés, sujets et moyens de l'argumentation, y sont déjà présents.

### Dégager des axes de lecture

Dès ce début, page magistrale et célèbre, Voltaire utilise plusieurs procédés argumentatifs pour vider de sens l'Éden allemand et entrer dans le débat sur l'optimisme : il instaure une connivence avec le lecteur, par l'identification avec un héros sympathique, l'appel à la raison, à l'ironie, le tout reposant sur une culture commune (clichés sur les peuples, allusions à la Bible, à la philosophie de l'optimisme). L'attention se porte essentiellement sur le lieu et les personnages, et sur la satire sociale et philosophique.

## PREMIER AXE DE LECTURE
## UN PARADIS DE PACOTILLE

### ▌Le lieu

L'Allemagne est le pays de Leibniz, principal philosophe théoricien de l'Optimisme que combat Voltaire : celui de Frédéric II de Prusse, que l'auteur admirait comme le modèle du souverain éclairé et avec lequel un séjour à Berlin vient de le brouiller. La Westphalie en est aussi la province la plus pauvre : en la choisissant comme Éden fondateur du conte, et en faisant croire à tous les personnages que le baron, avec son château qui « avait une porte et des fenêtres » (l. 14), est un puissant seigneur, Voltaire souligne la médiocrité de cet idéal et l'aveuglement de ses héros : il donne une leçon de relativité entre la réalité et l'idée que les hommes s'en font. Satire de la lourdeur allemande, également, l'emphase du nom Thunder-ten-tronckh[1], l'embonpoint de la baronne (150 kg) et de sa fille (« grasse », l. 24). La grande économie de détails sur le décor et les paysages est habituelle dans les romans et contes à l'époque. Mais chez Voltaire, c'est aussi un procédé systématique : la parcimonie des descriptions charge chaque détail d'un sens et d'une fonction philosophiques ou satiriques très forts. Ici, l'Allemagne se réduit à deux ou trois clichés, épaisseur des corps, philosophie épaisse, d'ailleurs toujours valables au XXIᵉ siècle tant les préjugés ont la peau dure[2]… Les personnages font l'objet d'un traitement identique.

### ▌Une galerie de portraits stéréotypés

L'évocation de Candide encadre celle des autres personnages : cette composition situe d'emblée le jeune garçon comme le héros, mais insiste aussi sur sa marginalité sociale de bâtard : il est ensuite

---

1. Noter l'allitération en « t » et le sens du mot thunder (tonnerre) ; voir au chapitre 2 le nom de ville Valdberghoff-trarbk-dikdoff, signifiant forêtmontagnecour-gageure dérisoire-épais village…
2. Aucun des nombreux peuples visités dans Candide n'échappe à ce procédé du cliché : les Français sont bavards, médisants et volages (chap. 22), les Espagnols et Portugais orgueilleux et intolérants (Inquisition du chap. 6, gouverneur du chap. 13), les Turcs totalitaires et cruels (chap. 20), etc.

réintégré à sa place normale, qui est la dernière. Les comparses, en effet, se présentent dans un ordre familial et social hiérarchique : le baron, son épouse, leurs enfants, le précepteur, enfin l'enfant naturel. La fille vient avant le fils, ce qui annonce le rôle majeur de Cunégonde. De même, seuls Candide et Cunégonde ont un prénom ; on ignore si Pangloss est un nom ou un prénom. Tous les trois font l'objet de précisions succinctes, et l'on a même l'honneur d'entendre la voix du professeur pour un fragment édifiant de cours de philosophie. Mais cette économie de description n'est rien au regard du sort réservé au baron, à sa femme et à son fils, anonymes et expédiés en deux traits d'esquisse caricaturale. Le premier n'est pas méchant au fond mais prétentieux et un peu ridicule même pour ses serviteurs. Son épouse placide ne se distingue que par son poids et une bonne éducation limitée à une politesse formelle (faire « les honneurs de la maison » avec « dignité », l. 22), ce qui veut dire qu'elle est laide et bête ; quant au fils, on se contente de noter qu'il « paraissait en tout digne de son père », ce qui vu le portrait du père retourne le compliment en charge féroce, qui sera confirmée dans la suite du conte où il se montrera imbu de ses titres jusqu'à en être borné.

Un sort particulier est donc réservé à Candide. On devine, aux rumeurs des serviteurs, que son statut d'enfant non reconnu, mais assimilé à Cunégonde et à son frère (il suit comme eux les leçons de Pangloss), cache un secret de famille : la sœur du baron a fauté avec un voisin. Né d'un père « bon et honnête » (l. 8), il a un physique agréable, qui expliquera l'attachement sensuel de Cunégonde. Ses qualités d'intelligence et de morale le prédisposent à une évolution vers l'esprit critique et emportent l'adhésion émue du lecteur. On sent déjà qu'il pourra exprimer les idées de l'auteur, et jouer le rôle de héros de roman d'apprentissage : intelligent, certes (« jugement assez droit », l. 4), mais aussi jeune et malléable, naïf (« l'esprit le plus simple », l. 5), il a, dirait-on aujourd'hui, un fort potentiel.

## DEUXIÈME AXE DE LECTURE
## LA SATIRE DE LA SOCIÉTÉ FÉODALE

Voltaire oppose la prétention de richesse (« grande salle », « meute », « piqueurs », « grand aumônier », termes ou titres nobles, l. 15 à 18) et la basse réalité (simples ornements de « tapisserie », « chiens de basse-cour », « palefreniers », « vicaire »). Les serviteurs même, tout en affublant le baron du titre pompeux de « monseigneur », sans gêne ni malice, « rient de ses contes » (l. 19) : leur respect a des limites, tout se déroule dans une ambiance à la fois guindée et familiale. La satire sociale atteint son point culminant avec l'exigence des quartiers de noblesse, qui annonce que derrière la bonhomie des nantis se cachent des exigences et des préjugés très âpres et absurdes : un honnête homme est refusé comme époux, parce qu'il ne peut prouver que 71 quartiers (nombre d'ancêtres nobles) au lieu de 72, pedigree du baron, différence infinitésimale et dérisoire... Dans ce détail se niche toute l'audace de la critique par les philosophes puis les révolutionnaires du XVIIIᵉ siècle de la raideur improductive et méprisante des castes qui prévalaient dans l'Ancien Régime. On trouve ici, déjà, l'ironie cinglante qui sera celle du *Figaro* de Beaumarchais.

## TROISIÈME AXE DE LECTURE
## UNE PHILOSOPHIE DOGMATIQUE
## ET GROTESQUE

Le nom même de Pangloss est parodique (« toute langue » en grec, ce qui peut signifier « qui ne fait que parler » et suggère un vain bavardage). Dès cette première apparition il se distingue par deux traits : « oracle de la maison » (l. 26), dogmatique, il n'a aucun contradicteur ; et ses discours sont ridicules. Pour le prouver, Voltaire devance le jugement du lecteur en annonçant que Pangloss enseigne la « métaphysico-théologo-cosmolonigologie » (l. 29) : la pétarade intellectuelle jargonnante s'achève burlesquement par l'expression « nigologie » (la science, *logos* en grec, des nigauds,

« nigo ». Dans la phrase suivante, l'allusion aux « effets sans cause » signale au lecteur averti que la philosophie, si l'on ose dire, en cause ici, est celle de Leibniz et Wolf (voir p. 45), qui ont inventé le principe de la raison suffisante et des causes finales. Les théories de l'optimisme apparaissent aussi dans la dernière phrase avec une surenchère en allusion à Pope, autre philosophe de cette mouvance, qui avait écrit dans son ouvrage *Essai sur l'Homme* (1733) : « Tout ce qui est, est bien. » Entre ces deux assertions vient un échantillon de raisonnement particulièrement défectueux de Pangloss sur les mêmes causes finales (la fin pour laquelle une chose est faite) : il va de soi, et l'on ne peut que s'étonner de la naïveté de Candide face à de telles inepties, que les nez ne furent pas inventés pour les lunettes, mais les lunettes pour les yeux faibles, que ce sont les chaussures qui ont été conçues pour protéger les jambes, et non l'inverse, que les pierres n'étaient pas destinées à être taillées. L'accumulation de tels exemples, avec des phrases construites sur un schéma identique, crée un effet comique, qui culmine dans les deux dernières : le château du baron, dont on a vu la médiocrité (il ne se distingue des chaumières environnantes que par des portes et des fenêtres) est utilisé pour le discours philosophique. Enfin, la mention des porcs faits pour être mangés en toute période et par tout le monde ne peut que susciter le rire : le lecteur sait bien que le porc est une denrée interdite dans certaines religions.

## CONCLUSION

En quelques lignes Voltaire pose donc l'essentiel du sujet et des procédés de l'ensemble du conte, et, dans une parodie du premier chapitre de la Bible (la Genèse, Éden dont l'Adam est ici Candide et l'Ève qui le séduira Cunégonde, et dont Candide sera bientôt chassé), met en place la référence à un premier jardin, à un premier paradis, qui servira de référence constante à la quête de son héros. Le château, symbole pour Candide du bonheur, sera par la suite une référence déterminante pour son apprentissage, jusqu'à sa duplication finale dans la métairie orientale.

Rien n'était si beau, si leste, si brillant, si bien ordonné que les deux armées. Les trompettes, les fifres, les hautbois, les tambours, les canons, formaient une harmonie telle qu'il n'y en eut jamais en enfer. Les canons renversèrent d'abord
5 à peu près six mille hommes de chaque côté; ensuite la mousqueterie ôta du meilleur des mondes environ neuf à dix mille coquins qui en infectaient la surface. La baïonnette fut aussi la raison suffisante de la mort de quelques milliers d'hommes. Le tout pouvait bien se monter à une
10 trentaine de mille âmes. Candide, qui tremblait comme un philosophe, se cacha du mieux qu'il peut pendant cette boucherie héroïque.

Enfin, tandis que les deux rois faisaient chanter des *Te Deum*, chacun dans son camp, il prit le parti d'aller raison-
15 ner ailleurs des effets et des causes. Il passa par-dessus des tas de morts et de mourants, et gagna d'abord un village voisin; il était en cendres; c'était un village abare que les Bulgares avaient brûlé, selon les lois du droit public. Ici des vieillards criblés de coups regardaient mourir leurs femmes
20 égorgées, qui tenaient leurs enfants à leurs mamelles san-glantes; là des filles, éventrées après avoir assouvi les besoins naturels de quelques héros, rendaient les derniers soupirs; d'autres, à demi brûlées, criaient qu'on achevât de leur donner la mort. Des cervelles étaient répandues sur la
25 terre à côté de bras et de jambes coupés.

Candide s'enfuit au plus vite dans un autre village; il appartenait à des Bulgares; et les héros abares l'avaient traité de même.

# INTRODUCTION

## Situer le passage

Déchu du paradis (fin du chapitre 1), Candide tombe sur l'un des pires fléaux créés par l'homme : la guerre. Son évocation a été préparée au chapitre 2 par la satire de la société militaire (enrôlement forcé, entraînement mécanique, prestige de l'uniforme, rigueur des châtiments corporels...).

## Dégager des axes de lecture

Pour dénoncer la guerre, fausse valeur, Voltaire utilise deux procédés différents et successifs. D'abord, il traite le sujet avec ironie, dévoilant, sous le décor pompeux et rutilant, sa triste réalité. Puis, avec la description des atrocités subies par les civils, c'est l'émotion, la révolte du lecteur qu'il sollicite. Enfin, à travers plusieurs allusions, il désigne les responsables de cette absurdité.

# PREMIER AXE DE LECTURE
# UNE « BOUCHERIE HÉROÏQUE »

## Un spectacle grandiose

Le combat se présente comme un spectacle (voir l'expression « théâtre de la guerre » juste après l'extrait choisi) musical et dansant, qui tourne ensuite au cauchemar. La fête commence par deux phrases hyperboliques de registre épique, qui décrit les deux armées face à face avant la bataille. L'hyperbole (figure de style consistant en une amplification, une exagération, dans le but de créer une impression forte) utilise ici l'accumulation de termes (adjectifs dans la première phrase, noms d'instruments dans la seconde), et les tournures superlatives « rien n'était si... que » (l. 1), « telle qu'il n'y en eut jamais » (l. 3). Elle est fréquente dans le genre littéraire de l'épopée, qui retrace les exploits, souvent guerriers, de héros exceptionnels (voir *L'Iliade*, *La Chanson de Roland*...). Le mot « héros » (du grec « demi-dieu ») apparaît d'ailleurs trois fois dans le texte. Les adjectifs laudatifs se suivent et le nombre de leurs syllabes augmente, procédé

fréquent d'amplification oratoire : « beau », « leste », « brillant », « ordonné »
(l. 1). La guerre débute par une parade militaire en musique (trompettes, hautbois, tambours, canons) et se clôt par une cérémonie
avec des chants de remerciement à Dieu (les « *Te Deum* »).

## La parodie de l'épopée : l'ironie par le contraste

Voltaire parodie l'épopée, par un des contrastes entre registre
noble et bas, entre le symbolique et la réalité sordide. Les soldats
sont à la fois des « héros », et des victimes anonymes traitées avec
mépris (des « coquins » qui « infectaient » la surface de la terre, l. 7).
Les canons, d'abord instruments de musique parmi d'autres,
deviennent des instruments de mort. Le combat se déroule en trois
phases et phrases, construites sur un même modèle : la mention des
armes, qui vont de l'assaut à distance vers l'affrontement corps à
corps (canon, mousqueterie, baïonnette) ; l'expression imagée de la
mort (« renversèrent », « ôta du meilleur des mondes », « fut la raison
suffisante de la mort », l. 4 à 8), le dénombrement des défunts (« à
peu près six mille », « neuf à dix mille », « quelques milliers » : les
approximations montrent à quel point la vie humaine individuelle
compte peu dans la guerre). Suit un bilan objectif et sinistre : « le tout
pouvait bien se monter à une trentaine de mille âmes » (l. 9).

D'où la trouvaille verbale finale sous forme d'oxymore (alliance de
deux mots contradictoires) : la « boucherie héroïque » (l. 11) réunit
significativement les deux faces de la médaille de la guerre et illustre
un carnage sanglant et atroce, compare à l'exécution d'animaux
dans un abattoir, glorifié sous le masque épique (héroïque).

# DEUXIÈME AXE DE LECTURE
## L'APPEL À L'ÉMOTION :
## LE MASSACRE DES CIVILS

## Des victimes sans défense

Après cette ironie cinglante et froide sur la « guerre en dentelles »
des petits soldats de plomb fauchés sur l'herbe, qui s'achève en

« tas de morts et de mourants » (l. 16), Voltaire, par l'intermédiaire de Candide, qui s'enfuit, passe aux abords du champ de bataille, dans les « villages », également ravagés par le conflit. Mais ici, pas de parade ni flonflons : c'est l'horreur du massacre des civils, qui n'ont rien à voir avec la guerre. Ici, plus de militaires dans leurs beaux uniformes et armés, professionnels s'affrontant dans un combat égal. Les mêmes soldats se livrent au meurtre sur les êtres les plus faibles de la société : « vieillards », mères et leurs nourrissons, jeunes filles, auxquelles le viol n'est pas épargné (périphrase des « besoins naturels de quelques héros », l. 22).

## Un chaos tragique

Le réalisme préfigure le tableau *Guernica* de Picasso, qui décrit le bombardement d'un village durant la guerre d'Espagne en 1937 : comme le peintre cubiste, choqué par l'actualité, l'écrivain traduit sa colère et son épouvante par une femme hurlante tenant son enfant mort, des bouches béantes et des bras levés, la dislocation des corps, mutilés ou réduits à des morceaux tronqués : « criblés de coups », « égorgées », « mamelles sanglantes », « éventrées », « à demi brûlées », « coupés » (l. 19 à 25, noter les assonances en « é » qui scandent le texte). L'être humain réduit au cadavre n'a plus d'âge, de sexe ni de corps : « Des cervelles étaient répandues sur la terre à côté de bras et de jambes coupés » (l. 24).

Au concert militaire se substitue la cacophonie stridente des cris de peur et d'agonie, mêlés aux « derniers soupirs », et au tragique regard muet des vieillards passifs spectateurs de la mort (« regardaient mourir leurs femmes égorgées », l. 19). L'horreur est telle que des femmes, pour abréger leurs souffrances, crient non pour appeler à l'aide afin de survivre, mais pour qu'on les achève.

Ce point de vue des victimes réapparaîtra dans *Candide* : récits de Cunégonde (chap. 8) et de son frère (chap. 15) sur ce conflit des Bulgares et des Abares, de la vieille sur les corsaires ou la guerre civile du Maroc (chap. 11), sur le siège d'Azof (chap. 12). S'y ajoutent la guerre des jésuites contre les Espagnols, des Oreillons contre les jésuites au Paraguay (chap. 14 à 16)...

# TROISIÈME AXE DE LECTURE
## LA DÉSIGNATION DES RESPONSABLES

## ▌Un fléau absurde et sans justification

Volontairement, Voltaire ne donne aucune explication, ni ne prend parti : on sait seulement, à la fin du chapitre 2, que « le roi des Bulgares livra bataille au roi des Abares ». Il évoque « les deux armées » (l. 2), les deux villages sans préférence ni distinction. Soldats et civils abares et bulgares sont unis dans un destin identique, manipulés comme des marionnettes qui toutes finissent dans les cendres. Ici, l'auteur joue sur des parallélismes : les soldats des deux camps tombent au même moment et de la même façon ; le premier village, abare, est en cendres ; le second, bulgare, est « traité de même » (l. 27) ; les deux rois dans une parfaite symétrie temporelle « font chanter des *Te Deum*, chacun dans son camp » (l. 13), et l'on aura noté la ressemblance entre les noms des peuples abare et bulgare (nombre de syllabes et assonance). Ni vainqueur ni vaincu, et aucun enjeu : la guerre ne sert à rien, voilà la conclusion à laquelle Voltaire conduit son lecteur.

## ▌La responsabilité des rois et de la religion

Il désigne aussi, dans ce passage, les auteurs de cette absurdité révoltante. Ce sont tout d'abord les souverains. Les termes d'Abares et de Bulgares (peuples mongols qui envahirent l'Europe orientale au premier millénaire) ne désignent aucun pays particulier au XVIIIe siècle ; en revanche, ce combat près de la Wesphalie allemande vise clairement la guerre de Sept Ans[1], récemment déclenchée par Frédéric II de Prusse que Voltaire croyait prince éclairé et pacifique, et qui le bouleversa autant que le séisme de Lisbonne (le conte débute avec ces deux drames de l'actualité des années 1750, l'un au chapitre 3, l'autre au chapitre 6). L'auteur vise l'appétit de conquête des grands, indifférents aux malheurs qu'ils provoquent.

---

**1.** Guerre opposant l'Autriche, la France et la Russie à la Prusse et l'Angleterre (1756-1763). Elle se déroule surtout dans l'actuelle Allemagne.

Il dénonce la caution que les religieux donnent aux conflits au mépris des enseignements chrétiens de respect du prochain (voir le commandement « Tu ne tueras point » de la Bible) : des messes étaient dites par des prêtres, pour obtenir de Dieu la victoire ou l'en remercier (les *Te Deum*). L'harmonie orchestrale militaire n'évoque pas le paradis, comme on pouvait s'y attendre, mais l'« enfer » (l. 4). Dans des chapitres ultérieurs, cette critique reviendra : allusions aux guerres menées par les pères jésuites, aux guerres de religion (chevaliers de Malte catholiques contre musulmans turcs au chapitre 11 ; orthodoxes russes contre Turcs au siège d'Azof, en 1695). La guerre civile marocaine se déroule « sans qu'on manquât aux cinq prières par jour ordonnées par Mahomet ».

## La collusion du droit et de l'optimisme

Responsables aussi, des intellectuels de l'époque (Grotius, Pufendorf...) qui justifient la guerre par des théories sur « le droit public », élevant les cruautés à des « lois », des « usages ». Ici, le village abare est brûlé « selon les lois du droit public ». Cette argutie juridique revient au chapitre 11 (« c'est une loi du droit des gens à laquelle on n'a jamais dérogé », observe la vieille à propos de sévices), au chapitre 12 (« il nous assura que dans plusieurs sièges pareille chose était arrivée, et que c'était la loi de la guerre »).

Significative, l'attitude de Candide : Voltaire en use contre l'optimisme[1], par des expressions caractéristiques de cette théorie, mais aussi pour faire vivre les scènes à travers le regard horrifié d'un personnage sympathique auquel le lecteur s'identifie. Le jeune homme réagit non en héros, mais en déserteur : il « tremblait comme un philosophe » l. 10 (expression proverbiale forgée par l'auteur) et « se cacha du mieux qu'il put » (l. 11), puis « prit le parti d'aller raisonner ailleurs des effets et des causes » l. 14 (euphémisme, expression détournée ou atténuée d'une réalité, ici, la fuite). Voltaire se moquait déjà plus haut de ce « meilleur des mondes » pire qu'un « enfer », et

---

1. Voir p. 45 sur le contenu de ces théories.

parodiait la théorie des causes finales, avec la baïonnette, « raison suffisante de la mort de quelques milliers d'hommes » (l. 8). L'assurance de Pangloss, ici représenté par son disciple, ne résiste pas aux horreurs de la guerre. Au-delà de cette satire, Candide ne suit-il pas le parti que chacun devrait prendre face à ce fléau : le refus d'y participer ? Il est vrai que Voltaire lui-même composa un poème célébrant la victoire du roi français à la bataille de Fontenoy (1745). Mais *Candide* appartient à la maturité née des épreuves et de la réflexion.

## CONCLUSION

Voltaire s'inscrit dans une longue tradition. La lutte des philosophes des Lumières contre la guerre fut précédée par une dénonciation de La Bruyère à la fin du XVIIe siècle (*Caractères*, chap. 10). Le chapitre 3 de *Candide* fait écho à l'article « Paix » de l'*Encyclopédie*. Dans *La Chartreuse de Parme* de Stendhal, au XIXe siècle, le héros vit une bataille sans comprendre ce qui s'y passe ; on peut évoquer aussi *La Débâcle* de Zola. Au XXe siècle, de nombreux écrivains dénoncent les boucheries de la première et de la deuxième guerre mondiale (*Voyage au bout de la nuit* de Louis-Ferdinand Céline, *Le Feu* d'Henri Barbusse...). S'y joignent la peinture, le cinéma (*Apocalypse Now* de Francis Ford Coppola...).

En approchant de la ville, ils rencontrèrent un nègre
étendu par terre, n'ayant plus que la moitié de son habit,
c'est-à-dire d'un caleçon de toile bleue ; il manquait à ce
pauvre homme la jambe gauche et la main droite. « Eh !
5    mon Dieu, lui dit Candide en hollandais, que fais-tu là,
mon ami, dans l'état horrible où je te vois ? – J'attends mon
maître, monsieur Vanderdendur, le fameux négociant,
répondit le nègre. – Est-ce monsieur Vanderdendur, dit
Candide, qui t'a traité ainsi ? – Oui, monsieur, dit le nègre,
10   c'est l'usage. On nous donne un caleçon de toile pour tout
vêtement deux fois l'année. Quand nous travaillons aux
sucreries, et que la meule nous attrape le doigt, on nous
coupe la main ; quand nous voulons nous enfuir, on nous
coupe la jambe : je me suis trouvé dans les deux cas. C'est à
15   ce prix que vous mangez du sucre en Europe. Cependant,
lorsque ma mère me vendit dix écus patagons sur la côte de
Guinée, elle me disait : « Mon cher enfant, bénis nos
fétiches, adore-les toujours, ils te feront vivre heureux ; tu as
l'honneur d'être esclave de nos seigneurs les blancs, et tu
20   fais par là la fortune de ton père et de ta mère. » Hélas ! je
ne sais pas si j'ai fait leur fortune, mais ils n'ont pas fait la
mienne. Les chiens, les singes et les perroquets sont mille
fois moins malheureux que nous ; les fétiches hollandais qui
m'ont converti me disent tous les dimanches que nous
25   sommes tous enfants d'Adam, blancs et noirs. Je ne suis pas
généalogiste ; mais si ces prêcheurs disent vrai, nous
sommes tous cousins issus de germain. Or vous m'avouerez
qu'on ne peut pas en user avec ses parents d'une manière
plus horrible.

30   – Ô Pangloss ! s'écria Candide, tu n'avais pas deviné cette
abomination ; c'en est fait, il faudra qu'à la fin je renonce à

ton optimisme. – Qu'est-ce qu'optimisme ? disait Cacambo.
– Hélas ! dit Candide, c'est la rage de soutenir que tout est
bien quand on est mal » ; et il versait des larmes en regar-
35   dant son nègre ; et en pleurant, il entra dans Surinam.

## INTRODUCTION

### Situer le passage

En provenance de l'Eldorado, seule étape heureuse de son
périple, Candide découvre la pire des abominations : l'esclavage. La
polémique en Europe sur le statut des nègres s'est déjà engagée,
opposant les philosophes des Lumières et des intérêts politico-éco-
nomiques relayés au plus haut niveau des États, avec la complicité
de l'Église : le sujet est d'actualité.

### Dégager des axes de lecture

La rencontre de Candide avec le nègre de Surinam est certainement le passage où l'argumentation est la plus violente et la plus
réussie : y contribuent une mise en scène sobre et efficace, un réquisitoire ironique et implacable, un moment d'intense émotion.

## PREMIER AXE DE LECTURE
## LA MISE EN SCÈNE

Contrairement à Helvetius (*De l'Esprit*) ou Montesquieu (*L'Esprit
des lois*), Voltaire inscrit son réquisitoire dans un récit romanesque
plutôt que dans un essai théorique. La scène se déroule à Surinam,
capitale de la Guyane hollandaise : riche de cultures tropicales
(cannes à sucre, riz, café, cacao…), elle exploitait les nègres comme
dans toute la zone caraïbe et d'Amérique. L'esclavage n'y fut aboli
qu'en 1863 (1848 dans les colonies françaises).

Quelques mots suffisent pour camper l'exotisme de l'Amérique mais aussi de l'Afrique d'où vient l'esclave : « chiens, singes, perro-quets », « dix écus patagons » (monnaie utilisée par les colonisateurs flamands et espagnols), « fétiches » (mot portugais utilisé par les Blancs pour les objets de culte des peuples dits primitifs). Même sobriété poignante dans la description du nègre, triplement démuni (étendu par terre, à peine vêtu de loques, mutilé d'une main et d'une jambe).

Deux hommes dialoguent : un Européen, complice en tant que tel de la traite, mais qui s'oppose à ses compatriotes esclavagistes par sa douceur et son esprit philosophique, et un Noir, représentant sou-mis mais lucide des victimes. Apparaissent aussi des comparses res-ponsables du commerce triangulaire : la mère africaine, à la fois naïve et cynique, qui vend son fils, et le maître du nègre, Vanderdendur. Curieusement, Cacambo, qui menait l'action et les débats dans les précédents chapitres, s'efface ici au profit du jeune héros, qui subit seul le choc émotif et intellectuel de la rencontre : Candide élève le débat à la controverse philosophique (la question de Cacambo, « Qu'est-ce qu'optimisme ? » l. 32, dévoile son ignorance sur le sujet).

La composition, simple et rigoureuse, comprend trois séquences : la surprise des voyageurs devant le piteux état du nègre et l'enquête de Candide ; le discours du Noir ; la réaction indignée de Candide.

## DEUXIÈME AXE DE LECTURE
## UN PLAIDOYER ÉLOQUENT

On observe ici encore une grande économie de moyens : un dis-cours bref, un enchaînement strict du raisonnement (voir plus bas), deux formules frappantes (« C'est à ce prix que vous mangez du sucre en Europe », l. 14 ; « Les chiens, les singes et les perroquets sont mille fois moins malheureux que nous », l. 21).

Voltaire attaque sur deux terrains : la raison, avec la dénonciation des illogismes ; la morale, en rappelant les valeurs bafouées par l'esclavage. Il démonte tout d'abord l'incohérence hypocrite des colonisateurs chrétiens, marchands et clergé, qui veillent à convertir les esclaves, donc les considèrent comme des hommes, et leur apprennent que Blancs et Noirs sont nés d'Adam (le premier homme dans la Bible), donc sont frères ou cousins, mais les vendent comme des objets ou des bêtes, et les traitent plus mal que leurs animaux domestiques. Il stigmatise l'érection de l'argent en valeur suprême : dérision des dix écus, qui valent une vie humaine et sont censés faire le bonheur d'une famille ; scandale moral de l'utilisation économique de l'esclavage pour abaisser le prix du sucre en Europe. Plusieurs détails visent la cruauté du *Code noir*, institué non en Guyane hollandaise, mais dans les colonies françaises depuis 1685 pour assurer la suprématie du catholicisme et une protection minimale du capital humain : il obligeait à convertir les esclaves et à leur fournir deux fois l'an « un habit de toile ». Les châtiments corporels, fouet, mutilations pour les fuyards étaient monnaie courante ; quant à la coutume de couper la main des accidentés du travail, ce qui arrivait souvent lors du maniement des meules de canne à sucre, il s'agissait d'une mesure sanitaire expéditive (amputer évite les risques de gangrène).

L'habileté de Voltaire est de donner la parole à la victime et de viser toute la chaîne des responsables de la traite triangulaire : rapacité des commerçants, complicité des consommateurs de sucre, du clergé mais aussi, ce qui est une réalité historique, des Africains qui vendaient des hommes contre de l'argent ou des marchandises importées d'Europe (bois, étoffes, armes, cuivre, alcool…).

## TROISIÈME AXE DE LECTURE
## L'INDIGNATION ÉMUE

Procédé classique de l'argumentation, le lecteur s'identifie facilement à Candide et au nègre, personnages sympathiques et dignes, ce qui favorise l'adhésion aux idées exprimées : leur naïveté commune est touchante, ils possèdent aussi des qualités universelles : le bon sens, la politesse (« Oui, monsieur », l. 9), la douceur, le respect du prochain. Mais c'est surtout le cheminement du voyageur qu'épouse le lecteur : Candide passe de l'intérêt apitoyé (« ce pauvre homme », l. 3, où l'adjectif est à la fois matériel et moral) à la compassion, puis à l'indignation (« abomination », l. 30, aux larmes, au bouleversement de sa conception du monde (le refus de l'optimisme). La scène des adieux de la mère qui vend son enfant en lui conseillant la soumission confine au sentimental voire à la sensiblerie. Le vocabulaire et les exclamations dramatiques et hyperboliques sont très présents : « Eh! mon Dieu! », « état horrible » (l. 3 à 5), « Hélas », « mille fois moins malheureux que nous » (l. 20 à 23), « on ne peut pas en user avec ses parents d'une manière plus horrible » (l. 27), « cette abomination » (l. 30), « Hélas! ». L'émotion culmine avec la double mention des pleurs : « il versait des larmes », « en pleurant, il entra dans Surinam » (l. 34 à 36).

Le choc subi par Candide le conduit à se révolter pour la première, et sans doute pour la seule fois du conte contre le système de l'optimisme avec une grande violence : « il faudra qu'à la fin je renonce à ton optimisme » (l. 30), « c'est la rage de soutenir que tout est bien quand tout est mal » (l. 33 à 34).

## CONCLUSION

L'argumentation est à double détente : contre le commerce triangulaire (évoqué par la vente de l'esclave en Afrique, sa vie d'esclave en Amérique, la vente du sucre en Europe), contre le système de l'optimisme qui justifie de tels scandales. Le passage, majeur dans le cheminement de Candide, a pris également une indépendance par rapport au conte : universellement connu, au même titre que celui de Montesquieu (*Esprit des lois*, XV, 5), il a joué un rôle symbolique non négligeable dans la lutte des intellectuels contre l'esclavage. Le sujet reste d'actualité : plus de 150 ans après l'abolition de l'esclavage en France, une loi française a reconnu en 2001 la traite négrière comme un crime contre l'humanité. Et l'esclavage subsiste dans le monde, ainsi que des conditions de travail iniques : Voltaire rejoint les problématiques modernes de globalisation économique et de commerce éthique (du café, des habits par exemple).

# Bibliographie

### BIOGRAPHIE DE VOLTAIRE

- GOLDZINK, Jean, *Voltaire, la légende de saint Arouet*, Gallimard, coll. « Découvertes », 1989.
- ORIEUX, Jean, *Voltaire ou la Royauté de l'esprit*, Flammarion, Le Livre de poche, 1977.

### OUVRAGES GÉNÉRAUX SUR VOLTAIRE, L'APOLOGUE ET LE CONTE PHILOSOPHIQUE

- BARTHES, Roland, « Le dernier des écrivains heureux » dans *Essais critiques*, Le Seuil, coll. « Points », 1958, p. 94-100.
- LEPAPE Pierre, *Voltaire le conquérant. Naissance des intellectuels au Siècle des lumières*, Le Seuil, 1994.
  *Sur l'influence des œuvres et de l'action de Voltaire dans l'argumentation des philosophes des Lumières contre l'ordre établi.*
- VAN DEN HEUVEL, Jacques, *Voltaire dans ses contes,* Armand Colin, 1967.

### ÉDITIONS DE *CANDIDE*

- VOLTAIRE, *Candide,* préface de Jacques Van den Heuvel, Gallimard, coll. « Folio », 1992.
- VOLTAIRE, *Candide, texte et commentaires,* Gallimard, coll. « La Bibliothèque Gallimard », 2000.

### ÉTUDES SUR *CANDIDE*

- CALVINO, Italo, « Candide ou la vélocité » dans *La Machine littérature*, Le Seuil, coll. « La librairie du XXᵉ siècle », 1994.

### FILMOGRAPHIE ET DISCOGRAPHIE

- *Candide,* Léonard Bernstein (France, opéra), 1956 ; Deutsche Grammophon, 2 CD, 1991.
- *Candide,* Norbert Carbonneaux (France, film), 1960.

# Index

**Guide pour la recherche des idées**

## Amour

Illusion de l'amour ............................................... 57, 72, 74, 75, 89
Condition féminine ............................................................ 12

## Argumentation

Raisonnement ......................................... 12, 41-42, 47, 79, 113, 123
Expérience ................................................................. 41, 70-71
Vulgarisation ................................................................... 35

## Bonheur

Un symbole du bonheur : le jardin ...................................... 59, 64
Fragilité du bonheur .................................................... 10, 23
Conditions du bonheur ................................. 25, 48, 53, 63-64, 67

## Bon sauvage ............................................... 14, 42, 43, 45

## Genres

Apologue (du derviche) ...................................................... 43, 49
Conte philosophique ................................................... 32-36, 37
Pamphlet ..................................................................... 36
Mélange des genres .............................................................. 33
Roman d'apprentissage ..................................................... 71-76

## Guerre ................................................ 54, 91, 98, 114, 120

## Parodie

Bible ............................................................... 19, 39, 59, 86
Épopée .......................................................................... 116
Romans ............................................................... 12, 33, 86

## Personnages

Évolution et apprentissage .............................. 12, 15, 19, 71-76, 92
Identification (avec le lecteur) ........................ 36, 40, 98-99, 119
Stylisation ................................................................ 40, 77-78, 110
Jeu d'opposition ................................................................ 10, 58, 79

## Philosophie

Définition ................................................................................ 34
Le problème du Mal ................................................................ 44-49
Satire des philosophes ........................................................ 58-119

## Registres

Variété .................................................................................... 36
Rire .................................................................. 23, 30, 82-87, 106
Émotion .................................................................. 81, 99, 117, 124
Révolte, colère .......................................................... 99-100, 124-125

## Religion

Satire du clergé ................................................................ 50, 58, 119
Intolérance et tolérance ........................................ 48, 51, 58, 90

## Société

Une société idéale : l'Eldorado .......................... 16-17, 62, 65-70
Inégalité sociale .................................................... 15, 54, 111-112
Esclavage ............................................................ 18, 56, 62, 121-125
Justice .................................................................................... 56

## Titre

Sens du titre ............................................................................ 44
Titre des chapitres ................................................................ 94

## Voyage

Chronologie et lieux ............................................................ 88, 110
Leçons .................................................................................... 10, 72

**Bussière Camedan Imprimeries**
à Saint-Amand (Cher), France (VII-2004).
Dépôt légal : juillet 2004. N° d'édit. : 31766. N° d'imp. : 042829/1.
*Imprimé en France*